ダルマ舎叢書Ⅳ

# 日本におけるコミュニタリアニズムと宇野理論

土着社会主義の水脈を求めて

大内秀明
OUCHI Hideaki

社会評論社

日本におけるコミュニタリアニズムと宇野理論――土着社会主義の水脈を求めて――＊目次

# 序　甦るK・マルクス、W・モリスそして宮沢賢治へ

## ●「戦時下のロンドン留学」でマルクス死後百年

大学院を修了後、主として学説史的にK・マルクスの『資本論』の研究を続けてきた。それが、なぜ「近代デザインの父」と言われるW・モリスの研究に辿り着いたのか？　考えてみれば、本人の我ながら不思議にも思います。マルクスの『資本論』が壁紙やテキスタイルのモリスと関係があるのか？　経済理論学会の席上、そんな露骨な非難めいた質問を浴びせられたこともあります。

大学紛争に明け暮れ、留学のチャンスを失っていた身の上に、多少の同情もあったと思うが、ロンドン留学のチャンスが訪れた。一九八二年、米レーガンとともに「新自由主義」の旗手、「鉄の女」宰相サッチャーが登場、そしてフォークランド戦争の「戦時下のロンドン留学」となりました。サッチャーがフォークランド戦争に勝利、「新自由主義」路線が本格化し、九〇年代初頭にはロシア革命の「ソ連」が呆気なく崩壊する。そんな時代の大きな転換期の始まりだった。

翌一九八三年、それは一八八三年に死んだマルクスの「死後百年」の記念の年だった。当時はまだ旧ソ連の冷戦体制の下、マルクス死後百年もまた、東を中心に盛大に行われ、東独のベルリンでは国際的な記

念シンポも開催され、それにも出席した。しかし、すでに「マルクス死後百年」は、東の世界だけのものではなかった。そこが鉄の女・サッチャーです。「マルクスが亡命したのはロンドンである。ロンドンの大英博物館で『資本論』を書き、ロンドンで死亡し、墓もある。死後百年記念はロンドンだ。」そんな雰囲気の中で、前年の八二年に英・BBC放送がテレビで大型番組『MARX IN LONDON』を放送し、それだけでなく「An Illustrated Guide」と銘打って『マルクス　イン　ロンドン』を真っ赤なサイケ調の表紙で出版した。(注)その著者が、オックスフォード大のウースター・カレッジ学長のA・ブリッグス氏だった。

（注）大内秀明・監修、小林健人・訳『マルクス　イン　ロンドン：ちょうど一〇〇年前の物語』（一九八三年、社会思想社刊）

テレビ・キャスターのブリッグス氏が説明したマルクス家のロンドンでの最初の住居、チェルシー地区の高級住宅について質問するため、オックスフォードに出かけた。(注)ヴィクトリア時代のアンティーク家具に囲まれた部屋で、最後にこんなアドバイスを頂いた。「自分はW・モリスからマルクスだった。大内さん、あなたはマルクスをやってきたから、ぜひマルクスからモリスをやって下さい。マルクスもモリスも、ロンドンの生活者だった。」帰途の車中で、「K・マルクスからW・モリスへ」強い興奮が続いたのを今でも思い出す。ブリッグス氏を真似て、モリス研究とともにモリス関連のアンティークも集め始めた。さらに宮沢賢治との出会いも、ある意味で偶然だった。

（注）マルクスのロンドン亡命は、日本では簡易宿泊所『ジャーマンホテル』、またソーホー地区のイタリア料理店の二階とされていた。しかし、ブリッグス氏の説明では、亡命ドイツ人には不相応なチェルシー地区の高級住宅で、すぐ家賃が払えなくなり「ジャーマンホテル」に逃げ出したとのことであった。

## ●賢治文学の基礎にあるW・モリスの「農民芸術論」

戦前、東京・中野の場末の映画館で、父親と一緒に賢治の「風の又三郎」（一九四〇年製作．島耕二監督）の映画を見た記憶がある。その後、文学青年の時代もないまま、賢治とは無縁だったが、地元の宮城で選挙を手伝っていた時、候補者が熱烈な「賢治ファン」だった。応援のポスター作りで賢治の『農民芸術概論綱要』を読み、「芸術をもて、あの灰色の労働を燃せ」が目に留まり、そのまま「賢治ファン」の仲間入りとなった。また、未発表の伊藤与蔵「賢治聞書」も紹介され、W・モリスの「農民芸術論」が賢治文学の基礎にあることを学んだ。(注)K・マルクス—W・モリス—宮沢賢治の流れを整理すれば、大筋こんなことになります。

（注）拙編著『賢治とモリスの環境芸術』（二〇〇七年、時潮社刊）参照、本書の第一章「賢治聞書」伊藤与蔵、聞き手は菊池正氏で、羅須地人協会については数少ない詳細な聞書きである。

マルクス—モリスの流れは、学会報告の都合もあり、東日本大震災の翌年『ウィリアム・モリスのマルクス主義』（二〇一二年、平凡社新書）として上梓しました。そこにも書きましたが、「モリスがマルクスの『資本論』から学んだ社会主義、それはマルクス・レーニン主義の社会主義とは、まったくと言っていいほど違います。彼の社会主義は、エンゲルスなどから〈センチメンタルなユートピア社会主義〉と冷たくあしらわれましたが、しかしそれは『資本論』の科学を踏まえ、友愛と連帯と協同をもとにした正統的な〈コミュニティ社会主義〉〈共同体社会主義〉なのです。」ここで大胆に「コミュニタリアニズム」を提起しましたが、ソ連崩壊後も日本ではマルクス・レーニン主義の教条の支配が今なお根強い。『資本論』を学説史的に研究してきた立場からは、共同体社会主義＝コミュニタリアニズムの流れを、もうひとつ明確にしなければならないと思ってきました。

一八六七年に『資本論』初版が第一巻だけ刊行され、第二・三巻の原稿はエンゲルスに託され、上記一八九三年にマルクスは他界しました。彼は『資本論』に命を捧げたと言えますが、しかしマルクスが死ぬまで一六年間の長い歳月が流れている。歳月が長いだけではない。七〇年代、「パリ・コンミュン」をはじめとして、ヨーロッパの思想界も大揺れに揺れた。この激動の中で、『資本論』は再版され、第二巻は八五年に、第三巻は九四年に刊行された。マルクス自身ではなく、エンゲルスの手で公刊されたのです。その点ではマルクス・エンゲルスの『資本論』だった。しかし「初期マルクス・エンゲルス」に対して、『資本論』は「後期マルクス」の著作として位置付けられなければならないと思う。その上、さらに一六年間の長い歳月の中で、厳しい時代の流れに『資本論』も耐えなければならなかったのです。

## ●E・B・バックスとW・モリスによる唯物史観の修正

一八七〇年代、「晩期マルクス」と呼ぶべき時代に、まず「パリ・コンミュン」を通して、エンゲルスは「プロレタリア独裁」を定式化した。初期マルクス・エンゲルスの唯物史観、それはマルクスによれば研究のための「導きの糸」＝イデオロギー的作業仮設に過ぎないものの定式化だった。さらに、それがレーニン『国家と革命』を通してロシア革命、ソ連型社会主義の教条となった。しかし、すでに『資本論』を書いたマルクスにとって、「パリ・コンミュン」は普仏戦争に対する共同体・市民の抵抗闘争であり、協同組合や職人・ギルドの役割を重視せざるを得ない。初期マルクス・エンゲルスから、二〇年もマンチェスターで経営者だったエンゲルスは、一八七〇年にロンドンに戻って来た。しかし、初期の青春時代は戻らなかった。

上記、激動の七〇年代と書きましたが、「パリ・コンミュン」の影響もあり、欧米で「共同体」研究のブームが起こった。モルガン『古代社会』をはじめ、それまで手が付けられたていなかった原始共同体などの研究が本格化した。その点でいえば、具体的な実証研究が無いままの初期マルクス・エンゲルスの唯物史観だったから、まさに「導きの糸」＝イデオロギー的な作業仮説に過ぎなかったのです。誠実なマルクスは、すぐさま『古代社会ノート』創りを始め、共同体を超歴史的・歴史貫通的な「経済原則」として、当時まだ手元にあった『資本論』第二巻「資本の回転」などにも応用し、純粋資本主義の抽象による自律的運動法則の解明を進めようとしていたと思う。「晩期マルクス」の『資本論』研究にほかなりません。

しかし、この「晩期マルクス」の『資本論』研究は、日本でも手付かずのままのように思います。大学院の恩師による宇野理論でも、「後期マルクス」の現行『資本論』止まりの研究ではないか？(注)　しかし、「パリ・

コンミュン」に続く「晩期マルクス」の共同体研究によって、すでに上述の拙著『ウィリアム・モリスのマルクス主義』で解明したマルクスのザスーリチへの返書などの形で、マルクスは事実上ではあるが「所有法則の転変」を修正し、共同体の超歴史的・歴史貫通的な「経済原則」の役割を認めていた。これは初期マルクス・エンゲルス以来の所有論的アプローチによる「唯物史観」の修正でしょう。マルクス家に出入りし、未発表のマルクスの原稿にも目を通したとされるE・B・バックス、そしてマルクス主義の組織「社会主義者同盟」の同志であるW・モリスの二人が、機関紙「Commonweal」に連載し、それを共著『社会主義：その成長と帰結』としてまとめ上げた。

（注）数少ない労作として、筆者とは研究のアプローチを異にするが、青木孝平『コミュイタリアン・マルクス』（二〇〇八年、社会評論社刊）を是非参照のこと。また、現代アメリカを中心としたコミュニタリアンについても、是非、参照されたい。

エンゲルスは唯物史観の初心を守り、「プロレタリア独裁」を定式化し、ボルシェビズムのレーニンに引き継ぐ。しかし、レーニンのロシア革命によるソ連・社会主義はすでに完全に崩壊した。マルクスはと言えば、メンシェビキの理論家ザスーリチに「返書」を送り、唯物史観の作業仮説をふまえて、上記バックス・モリスによる「共同体社会主義」＝コミュニタリアニズムの新しい地平に鍬を入れ始めた。上記のようにロンドンに亡命し、大英博物館を利用して、『資本論』を書いたマルクスです。イギリス資本主義の発展から純粋資本主義を抽象し、そこから歴史貫通的な「経済原則」による「類的存在」の人間による共同体社会主義＝コミュニタリアニズムへの道を、他ならぬマルクスからモリスたちが引き継いでいる。さらに日本でも、宮沢賢治が沢山の「西域童話」を書き、ユーラシア大陸のシルクロードの「玉の道」から花巻の「イギリス海岸」で受け止めて、農民芸術の世界に繋げていたのです。

レーニン『国家と革命』を読んで「これはダメですね」とはっきり否定し切った宮沢賢治だったが、わが恩師の「宇野理論」との直接の接点は見出せません。しかし、同時代の東北に生き、東北救済への「新たな農村経済」の危機に直面して、原理論・段階論・現状分析の宇野・三段階論の方法は、他でもない東北の仙台で体系化された。「宇野理論」誕生は東北・仙台だった。遠くイギリス資本主義の発展を見据え、①純粋資本主義を抽象し、自律的運動法則による下部構造の「原理論」、ドイツ留学の体験から②重商主義、自由主義、帝国主義の資本蓄積と政治的国家の歴史的発展の「段階論」、それに③世界経済の現実的な国際関係、とくに世界農業問題の「全般的危機」下の「現状分析」です。宇野が、初期マルクス・エンゲルスの唯物史観やプロレタリア独裁のドグマを否定し、歴史的「領有法則の転変」を否定し切った点で、東北農業の後進性を象徴する「共同体」の存在、そして共同体社会主義＝コミュニタリアニズムに通底する方法ではないか。労働力商品化の止揚を、社会的再生産の深部から提起し、「資本主義的人口法則」の歴史的転換の「経済原則」の提言を重視しなければと思う次第です。K・マルクス―W・モリス―宮沢賢治、そして宇野理論の道は、共同体社会主義＝コミュニタリアニズムに通じているのではないか？

## ●「コロナ危機」――深刻化する「人間と自然の物質代謝」の危機

その点で若干補足すれば、マルクスのザスーリチへの返書にしても、ロシア共同体の評価を軸にして、マルクスは唯物史観の「領有法則の転変」を事実上修正し、それをバックス・モリスが継承した。社会集団としての「共同体」は、いわゆるゲマインシャフト「地縁・血縁集団」として、労働力の社会的再生産の家庭・家族を基礎に、地域共同体として都市や農村の共同体につながり、地域環境など「人間と自然との物質代謝」と不可分離です。(注) さらに言えば、純粋資本主義を抽象した『資本論』の商品世界では、富は単なる労働生産物だけでない。商品経済的富として、労働生産物ではない「労働力の商品化」が不可欠であり、だからこそマルクスも古典経済学批判としての価値形態論の展開が不可欠だった。しかも、価値形態論を前提とする「労働力の商品化」は、同時に労働生産物ではない「土地・自然の商品化」と表裏の関係にある。人間の労働力と土地・自然、つまり「人間と自然との物質代謝」そのものが商品経済に媒介される、それが純粋資本主義の『資本論』の世界です。そこにまた、資本主義的経済法則と超歴史的・歴史貫通的な「経済原則」の接点があり、「共同体」の存在があることが重要です。

(注) マルクスは『資本論』第一巻初版刊行後、一八六八年以降「前資本主義社会の人間と自然の物質代謝のあり方への関心を強めていった」点を重視し、とくに「自然科学抜粋ノート」などの詳細な検討をとおして、エコロジー評価でのエンゲルスとの差異など、晩期マルクスの新たな位置づけが行われ始めた。斎藤幸平『大洪水の前に―マルクスと惑星に物質代謝』(二〇一九年、堀之内出版刊)など、新たな研究潮流として注目したい。

そう考えれば、純粋資本主義の抽象による原理論によって、現代の地球温暖化など、環境問題への射程も提起されるのは当然です。宮沢賢治とともに宇野・三段階論も、イギリス純粋資本主義から遅れた後進ドイツ資本主義、さらにロシアとともに二重の後進性を刻印された日本の東北の資本主義化による「全般的危機」の現実から生まれた。とくに東北農村は、低賃金労働力の供給基地として終始利用されてきた。婦女子の身売りによる困窮、さらに戦後は低賃金若年労働力と出稼ぎによる過疎と人口減、さらに福島原発事故も重なり「限界集落」から「棄村」の拡大が進み、同時に結婚も出来ず、子供もつくれない労働力の社会的再生産の危機の結果が、まさに「少子高齢化」問題でしょう。それと表裏の土地・自然の崩壊も、大量生産・大量消費は、急速な「円高」による農産物の自給率低下と相俟って進んでいる。福島原発事故による放射能汚染は、労働力とともに「土地・自然の死亡宣告」でもあった。追い打ちをかけるように、風水害による自然災害が続き、さらに新型ウィルスの「コロナ危機」が加わる現実です。労働力と土地・自然の「人間と自然との物質代謝」の危機は、深刻化しつづけて止まない。その点で「全般的危機」の現実は、東日本大震災一〇年も変わらないのです。

# 第１章

# 土着社会主義の源流を訪ねる

# 1　戊辰戦争一五〇年を迎えて

二〇一八年、日本近代の幕開けとなった明治維新から一五〇年、つまり奥羽越列藩同盟が薩長の官軍と戦った戊辰戦争に敗れ、それ以後、東北が「白川以北一山百文」と蔑まれ、収奪され続けてきた歴史の節目の年だ。東北の解放と開発を社是として、二〇一一年東日本大震災にも地道な取材報道を続けている仙台の地方紙『河北新報』は、戊辰一五〇年を迎え「奥羽の義」というタイトルで長い連載を試みた。薩長との国内戦に敗れ、賊軍の汚名に泣かされてきたけれども、敗北した奥羽の側にも多少の「義」のあったことを実証し強調し、積年の恨みを晴らしたい、そんな心情は東北人として十分理解できる。しかし、「義」は義でも、それは大義ではないようだ。中義ないし小義を意味しているのであろう。だから連載も「奥羽の大義」にせず、単なる「義」にしたのではなかろうか？

その伏線として、連載に先立ち「論稿：維新と東北」として、何人かの識者の「視点」を紹介している。その中で作家・原田伊織氏の見解に代表されるが、日本資本主義の近代化、ブルジョア革命である明治維新について、「テロリズムを背景にしたクーデターに過ぎない」という視点である。もし明治維新の王政復古に続く戊辰戦争が単なるクーデターに過ぎないとすれば、そもそも「大義」など無かった。とすれば、それに対する奥羽越列藩同盟も、戊辰戦争も、大規模な内戦になってしまったものの、そもそも大義などあり得ない。そして敗北した東北の側にも、クーデターに反対した中義、小義が残されているだけになっ

てしまう。戊辰戦争の歴史的意義は、多くの犠牲に比べて、決して大きくはないことになるだろう。(注)

（注）河北新報の制作局長だった小野昌和『戊辰の風雪：東北が生んだ人たち』（東北建設協会、一九九八年）を参照されたい。そこでは、第四章、第五章「奥羽越の大義、上下」として「近代東北の苦闘と東北人の魂の歴史を語るには、戊辰戦争の実相を見つめる必要がある」として、その「大義」を掲げていた。なお、「奥羽の義」は単行本となっているが、ここでは新聞記事に拠った。

こうした視点が提起される根拠だが、改めて確認しておくと一八六八年四月四日、江戸城に東征軍の勅使が入り、徳川家への沙汰状を公式に交付した。「この日をもって徳川政権は公式に終わった」歴史的事実が存在する。欧米先進国から大幅に遅れ、後進国ドイツからも遅れた二重の後進日本資本主義のブルジョア革命は、倒幕戦争など不必要な「無血平和革命」が成功していたのであり、戊辰戦争もブルジョア革命との大義に直結する問題は存在しない、単なる「テロリズムを背景としたクーデターに過ぎない。」倒幕戦争などではなく、薩長の明治新政府軍が、それ以前の「八・一八政変」など、東北の会津藩などに対する「私怨にもとづく報復」劇とみる。仙台藩なども仲裁に入るだけだったところ、クーデターに巻き込まれてしまった。したがってブルジョア革命の大義とは無関係に、私怨の報復戦争が拡大してしまったのである。

その点で、のちに東北から宰相の地位に上った岩手の原敬が、一九一七年（大正六年）盛岡の法恩寺での「戊辰戦争殉難者五〇年祭」においてささげた祭文の一節がまことに興味深い。「かえりみるに昔日もまた今日のごとく国民誰か朝廷に弓を引く者あらんや。戊辰戦役は政見の異同のみ。当時、勝てば官軍負くれば賊軍との俗謡あり、その真相を語るものなり」戊辰戦争は、大義なき「政見の異同」だけ、たんに政治的見解が異なるだけで、一方が勝ったからといって、負けた方を処断できる筋合いではない、と主張している。大正デモクラシーの風潮を背景にした原敬の政友会総裁としての直言である。しかし、明治維新に始まる日本近代史を振り返るならば、それだけでは済まない歴史の現実も否定できないと思う。

確かに「奥羽の義」を読んでいても、私怨の報復戦争の色彩が極めて強い。そのための犠牲があまりにも大きいし、会津をはじめ東北の怨念も大きく根深い。しかし、そうだとしても薩長の官軍側としては、孝明天皇の崩御により、天皇制の権力奪取を強め、国家権力の掌握を強化することによって、維新のブルジョア革命を推進した現実を重視しなければならない。その点では、戊辰戦争も明治維新の延長であり、廃藩置県、秩禄処分、地租改正など、維新のブルジョア革命による「賊軍」の東北に対する仕打ちと差別は大きかった。例えば地租改正にしても、「賊軍となった東北諸侯などに土地の私有権を認められない。そのため北海道などに追放し、特に山林は国有林にしたのだ。東北に国有林が多いのはそのためなのだ」その昔、大学の恩師で、戦前・東北大に在職していた宇野弘蔵氏による説明を思い起こす。(注)

(注) 地租改正については、宇野弘蔵編著『地租改正の研究』上・下巻（東京大学出版会、一九五七・五八年）を参照のこと。

それに付けても戦後、一九六〇年代初めの話になるのだが、仙台市民の仲間に入れてもらい、選挙権も得ることができた。東北の政治動向を知りたいとも思い、選挙の立会演説会を覗いたことがある。そこで抜群の雄弁をふるっていたのが只野直三郎という候補者で、一九三二年東北大法文学部卒業、戦後「日本人民党」を結成、「一人一党」で旧宮城一区から何回も当選していた。演説の内容が驚いたことに「国有林野を解放し、廃藩置県とは逆に廃県置藩、幕藩体制に戻して、林野を地域に開放すべきだ」と訴えていたのである。この超革命的な訴えがトップ当選につながる、それが戦後東北・仙台の政治風土だったのだ。首都の東京とは全く違う政治風土を感じ、恩師にも話した、その報告に対する宇野先生の回答が、上記のような内容であった。すでに五〇年以上も前の話だが、東北を理解するために大切な重要な鍵だと思い続けてきた。

天皇制を利用した明治・絶対主義の明治維新は、上記の廃藩置県、秩禄処分、地租改正など、日本資本主義の創出のために、戊辰戦争の勝利を十二分に利用したことを見落としてはならない。東北諸藩の賊軍を追放し、身分制度を廃絶することにより、資本主義経済の大前提となった二重の意味で自由な「近代的労働力商品」を創出したのだ。明治初年の激しいインフレとデフレも加わり、没落士族と下層農民の労働者化による資本の「本源的蓄積」のための重要な槓桿となったのが、ほかならぬ戊辰戦争の薩長・官軍の勝利と奥羽越列藩同盟の敗北と賊軍だったと思う。この日本資本主義の近代化の裏面を忘れるわけにはいかない。それから一五〇年、東北の近代化による開発は、戊辰の敗北とともに今日まで、その裏面を打ち消すことができない。すでに限界集落の拡大にとどまらず、秋田など市町村の自治体廃止まで進む人口減少、各県の最低賃銀など所得格差の拡大、そして東日本大震災による東京電力・福島第一原発事故のエネルギー政策の矛盾に至るまで、日本資本主義の裏面であり、負の遺産でしかない。(注)戊辰戦争一五〇年の感懐である。

(注) 人口減少を「少子高齢化」など、単なる人口問題に還元しただけでは済まない。人口減少は、各種の地域格差と結びついているし、とくに東北農村は存立の基礎を問われている。周知のとおり、戦前は日本資本主義の発展のための過剰人口・産業予備軍のプールとして利用され、戦後の高度成長も、農村の若年層が「金の卵・ダイヤモンド」と呼ばれ「年功序列型賃金、終身雇用制、企業別組合」の三点セットの日本型経営と結びついて実現した。しかし、それも今や限界で、東北農村も外国人労働力に依存し、プラザ合意以降の急激な円高による安価な農産物輸入も加わり、崩壊の危機を迎えている。それらについては、労働問題の視点からだが拙稿「労働力商品化の止揚と『資本論』の再読」(平山昇など編『時代へのカウンターと陽気な夢:労働運動の昨日、今日、明日』社会評論社、二〇一九年刊)を参照されたい。

## 2　自由民権運動の流れ

自由民権運動は、言うまでもなく明治前期、藩閥政治に対する民主主義的な政治運動であり、天賦人権の思想にもとづく藩閥打破、国会開設などの要求が進められた。広範な運動であり、全国的な広がりをもって進められたが、東北でも運動の連続面などでは、とくに戊辰戦争との直接的なつながりはないものの、北関東から東北は大きく運動の盛り上がりが見られた地域だった。例えば、阿武隈山系の福島・石川町は、自由民権運動発祥の地として知られ、西の板垣退助と並ぶ東の河野広中が、石川町の区長として赴任し、民権運動を始めた。運動の結社である「石陽社」のための有志会議が一八七五年に開設、土佐の「立志社」に次いで東日本では最も早い活動と言われる。最近でも、東京電力・福島第一原発事故に重ねながら、福島の苦悩とともに、改めて自由や人権の意味を問う演劇の上演活動などを『河北新報』も伝えている。

自由民権運動のトップリーダーは土佐の板垣退助だったが、その板垣も戊辰戦争では、土佐藩であり官軍側で東北征伐にやってきた。『河北新報』「奥羽の義」によれば、「一八六八（慶応四）年旧暦八月二一日。新政府軍は会津若松を目指し、郡山市と福島県猪苗代町にまたがる母成峠を急襲した」「新政府軍は板垣退助（土佐藩）、伊地知正治（薩摩藩）率いる兵二〇〇〇」、会津側の守備の手薄を衝いて、政府軍は会津軍を一気に攻め立て、会津若松の鶴ヶ城落城に道を開いた。板垣の軍功は、まことに大きかったことになるが、その板垣が自由民権運動では、明治政府の官権・藩閥政治を批判し、全国的な民権運動をリードしたのだ。薩長の藩閥政治の権力支配への批判とともに、例えば奥羽越列藩同盟の側にも、仙台藩士・玉虫佐太夫(注)などの書いた盟約書には、「一、大義を天下に述べるを目的とし、小節細行に拘泥しない。一、重要事項は列藩で集議し、公平の旨に帰すべし。一、みだりに農民を労役するな」など、すでに民権思想が鋭く提起されていたことが、官軍の板垣に影響したかも知れないと思うところである。

(注)玉虫左太夫(一八二三~六九)は、仙台藩士として一八四六年に江戸の湯島聖堂で学び、その塾長となる。五七年には「箱館奉行」とともに蝦夷地を調査し『入北記』を著す。六〇年(万延元年)日米修好通商条約の批准書交換使節団の一員として渡米し、帰国後大番士となり、後に養賢堂指南統取となった。しかし、一八六八年戊辰戦争の勃発とともに、奥羽越列藩同盟の成立に尽力、その軍務局副頭取となり、敗戦後に捕縛され獄中で切腹した。

なお、一八八一年に「五日市憲法」草案の起草に当たったとされる千葉卓三郎(一八五二~八三年、宮城県栗原市紫波姫出身)もまた、仙台藩士として戊辰戦争に加わった後、五日市町(現あきる野市)で教員となり、地元の青年たちと私擬憲法の草案をまとめたとのことである。

周知のとおり日本の社会主義思想、社会主義運動については、ごく一般的に「明治二〇年代の後半は、日清戦争とその勝利による多額の賠償金により資本主義が興隆した時代であり、職工の増加とともに労働運動が起こり、そこにアメリカ帰りの一群の若者たちが労働組合や社会主義の思想を伝え、日本の社会主義運動はそこから始まったと言えるであろう。明治三〇年前後(一八九〇年代末)のことである」と紹介されている。例えば、後述の労農派のリーダー、高野岩三郎の実兄の高野房太郎(一八六九―一九〇四)、安部磯雄（一八六五―一九四九）、片山潜（一八五九―一九三三）、賀川豊彦（一八八八―一九六〇）などであり、社会主義研究会、社会主義協会、社会民主党の創立がすすめられた。さらに一八九七年には「労働組合期成会」から「鉄工組合」が組織され、またセツルメント事業や協同組合などからも労働組合の結成がすすんだ。

しかし、こうしたアメリカ帰りの外来的な思想や運動に対し、「土着社会主義」の思想や運動を見る立場からすれば、明治一〇年代まで遡り、とくに自由民権運動などにも接点を求める必要があると思う。(注) 民権運動のスタートは、土佐に生まれた上述の「立志社」、翌七五年（明治八年）に大阪で「愛国社」として全国組織化された。七八年に再興されて、一八八〇年の第四回大会には、全国から民権運動家が結集して「国会期成同盟」が発足した。国会開設を要求する署名は二四万余に達し、自由民権運動は全国的に大きく高揚した。こうした民権運動の高揚に対して、藩閥政府は同年「集会条例」を発布して、演説会や集会を規制したが、八一年になると「北海道開拓使払い下げ」をめぐる汚職事件で追い詰められ、一〇月には伊藤博文は『国会開設の勅書』を発表、そこで一八九〇年には国会を開設することにした。しかし同時に、政敵の大隈重信を政府から追放する「明治一四年の政変」を断行したのである。

（注）共著『土着社会主義の水脈を求めて』では、平山昇氏が明治三〇年代「高野房太郎の夢と放浪」、「阿部磯雄と社会民主主義」を書いていたが、明治二〇年代に遡り「二葉亭四迷の社会主義」「横山源之助と下層社会」、さらに「一葉の日記から」「北村透谷と『文学界』」など文学作品の紹介の上で、「馬場辰猪と中江兆民」「明治二十年代の幸徳秋水と堺利彦」を取り上げている。文学作品の興味深い紹介、分析は共著に譲るとして、

ここでは自由民権運動との関連で「馬場辰猪と中江兆民」を、つづいて「幸徳秋水と堺利彦」を取り上げよう。

こうした政治的動乱の中で、東京では沼間守一の「嚶鳴社」、イギリス帰りの馬場辰猪、小野梓などの「共存同衆」、福沢諭吉の慶応義塾系の「交詢社」、それに中江兆民の「仏学塾」といった演説団体、政治塾などが起こり、銀座通りには新聞社が軒を連ね、言論活動が一挙に活発化する。さらに『国会開設の詔勅』が出されると、八一年に板垣退助を総理とする「自由党」、八二年には大隈重信の「立憲改進党」がそれぞれ結成、民権運動の最盛期を迎えることになった。こうした中で、国会開設を決断した伊藤博文は、改めて新たにつくる憲法を準備するために、先進国の欧米ではなく、普仏戦争（一八七〇〜七一年）で仏のナポレオン三世に勝利したビスマルク宰相がリードする後進国のドイツ帝国に渡り、合わせて自由党の分裂を図る動きを進めた。資金を提供された自由党の板垣退助は、すでに国会開設により民権運動の目的が達成されたとして、憲法の内容には関心を持たず、長期のヨーロッパ漫遊を決め込んでしまった。さらに帰国後、自由党を解党したのである。そのため民権運動の側からも大きな批判の声が上がったし、自由党左派の指導による有名な「秩父事件」の借金党も立ち上がった。

ここで自由党左派の論客として、馬場辰猪と中江兆民を挙げるが、土佐藩から馬場はイギリスに、中江はフランスに留学し、その点で上記の伊藤博文の後進国ドイツ帝国への渡欧とは対極的な立場を形成していた点が重要だろう。というのも一八七〇年代のことであり、普仏戦争、とくに「パリ・コンミュン」などによる欧米の新たな思想形成、とくに後述するがイギリスでは、K・マルクスやW・モリスなども健在で、それを反映する新たな思想潮流「コミュニタリアニズム」（共同体社会主義）などが台頭することにもなっていたからだ。（注）馬場の代表作『天賦人権論』は、当時の東大総長、加藤弘之『人権新説』への批判だったが、それまで加藤も天賦人権論に立脚した民権派の立場だった。それが『新説』では、進化論にもとづき「優勝劣敗、適者生存」を主張したのに対する馬場の厳しい批判だった。馬場はイギリス留学中もフランスに赴いていたが、一八七〇年から七八年まで、七四年に一時帰国した。しかし、すぐ翌年『米欧回覧実記』で有名な岩倉具視の使節団に加わり渡英、その間政府留学生となっているが、この長期の留学中に、政治思想としても言論・思想の自由、「公議與論」などの民権思想が固められ、左派の論客としては当時もっとも重視されていた論客である。

（注）維新政府の側が、この時点からビスマルクによるドイツ帝国の影響を受けながら進んだのに対して、土佐藩など自由民権側が、英・仏に留学生を送り込む対応がみられるのは興味深い。一八七〇年代「晩期マルクス」とともに、パリ・コンミュンなど西欧社会が大きく変転する中で、馬場辰猪の英国、とくにコッツウォルズへの留学や中江兆民のパリやリヨンへの留学の意味は大きいと思う。

なお、馬場の最初の英国留学だが、土佐藩の五人の留学生を迎えた「イギリス人の牧師ダニエル（J.J.Daniell）に連れられて、ロンドンの西方約百マイルにある、ヴィルトシャー州（Wiltshire）の町チペナン（Chippenham）に行き、そこからさらに、その郊外にあるラングレー（Langley）という小村に移った。ダニエルがそこの教区の牧師をしていたのである。」（萩原延寿『馬場辰猪』二九頁）ここでヴィルトシャー州、チペナンといえば、NHKテレビでも「イギリスで一番美しい村」と紹介され、今日でもイギリス観光のスポットであるコッツウォルズ地方（チペナンは、AONB特別自然美観地域に隣接）に属する。そこで五人が一年間も過ごしているのであり、さらに広くコッツウォルズといえば、後に日本でも堺利彦が抄訳『理想郷』として紹介したW・モリスのファンタジックロマンの名作『ユートピア便り』の舞台にもなった地域である。土佐藩の英国留学が、こうした地域を選んだことは、馬場をはじめとする自由民権運動にも、興味深い影響を与えたに違いないと思う。

さらに土佐藩からは、中江兆民がフランスに留学した。馬場が二度目の留学となった岩倉使節団に、中江は司法省九等出仕として採用されたのである。普仏戦争とパリ・コンミュン直後のパリやリヨンに滞在し、西園寺公望とも知り合い、イギリス留学の馬場とはドーバー海峡を挟んで何回か交流していた。そうした点からも、当時のヨーロッパ思想の変転を受け入れながら、幅広く自由民権運動を進めることになったのであろう。七四年には、中江は馬場よりも一足早く帰国し、後に「仏学塾」となる仏蘭西学舎を開き、ルソーの『社会契約論』の翻訳など、民権思想の普及に務めた。一方の馬場は帰国後、自由党左派の最高の論客として活躍し、一八八三年には当時の警視総監から東京での政治演説の禁止を申し渡されるほどだった。その後の彼の活動は、著作活動が中心になったが、そうした中で「観念としての民衆と事実としての民衆の乖離」「理念に対する確信と運動に対する失望」などに苦悩しつつ、一八八六年にはアメリカに渡ったが、八八年にフィラデルフィアで結核のため客死してしまった。

残された中江は、ルソーの思想紹介など、主としてジャーナリズムを中心に、自由民権運動の理論的指導者として活躍した。「東洋のルソー」とも評され、第一回の衆議院総選挙では大阪四区から立候補し、当選者の一人となった。それも自ら本籍地を大阪の被差別部落に移し、「余は社会の最下層の、さらにその下層における種族にして、インドの〈バリヤー〉、ギリシャの〈イロット〉と同僚なる新平民にして、昔日公らの穢多（えた）と呼び倣わしたる人物なり」と自称し、トップ当選を果たしている。しかし、議員を途中で辞職し、北海道の小樽に移り、地方の新聞創刊などジャーナリズムで活躍、さらに鉄道事業などの事業活動も手掛けたが、その後政界への復帰はないまま、一九〇一年に死去した。『三酔人経綸問答』『一年有半』などの著作を残しているが、兆民は号で「億兆の民」の意味、さらに「秋水」とも名乗ったが、それは弟子の幸徳秋水に譲り渡されたのである。

## 3　労農派の思想

さて、土着社会主義のタームで「労農派の思想」を探るについて、それを考えたのは上山春平氏の著作『日本の思想』を読んだ時からである。大分昔のことになるが、「日本の土着思想と周辺」として書かれた著作の増補版とのことで、「第一部　土着思想の系譜」の一つに「土着の社会主義―労農派の思想」が載っていた。上山氏らしいシャープな問題意識が満ち溢れていて、とても興味深く読んだ記憶が残っている。労農派の思想を、土着社会主義として位置付けることによって、二重の意味で後進的な日本資本主義、とくに東北の地に生まれて発展した、宇野三段階論などに特有な方法的意義も明らかにできると考えたからである。

そこで、上山氏の土着社会主義としての「労農派の思想」だが、中国の毛沢東が当時の日本社会党について、「不思議な党だ」と言ったそうだが、その「第二半インター」(注)性も、日本社会党の「労農派の伝統」に負うところ大だと見る。日本社会党は「左右二本」社会党と揶揄され、左派はソ連派で右派の社民系と対立していた。左右の対立だけではない、中ソ論争もあり、ソ連派と中国派が対立、仙台出身の佐々木更三委員長は中国派の領袖だった。旧ソ連がコミンテルンなどの「プロレタリア国際主義」に対して、中国派は批判的であり、その点では「労農派の伝統」を受け継いだのかも知れない。念のため指摘すれば、今日の中国共産党の「新時代の中国の特色ある社会主義」、さらに「新しいマルクス主義」「社会主義市場経済」などの視点は、コミンテルンなどソ連型の国際主義の否定であり、「労農派の伝統」の土着社会主義なのかどうか？　今後の動向に注目すべきだろう。

（注）上山氏も「その真意は分からないが、なるほど社会主義政党としては珍しい存在なのかも知れない」とされ、ロシア革命で世界の社会主義政党は、大きく旧来の西欧社会民主主義の「第二インターナショナル」系列の党と、もう一つコミンテルン・「第三インターナショナル」系列の共産党とに分裂していた。ところが日本社会党は、形式上「第二インター」に所属していたが、「日本における社会主義の道」など、ソ連型社会主義を目指していた点などから、どちらの系列にも収まり切れず、上山氏は「第三インター成立当時、第二インターと第三インターの中間の立場をとる〈第二半インター〉というのができて、二つのインターの統一を試みたことがある。日本社会党は、この〈第二半インター〉に近い立場」とされたのである。

労農派は、言うまでもなく講座派との対立を指し、それは戦前の一九三〇年代の日本資本主義論争の対立の呼称だった。(注)しかし、一九一七年のロシア革命、とくに戦後は冷戦下、社会主義は完全にソ連のマルクス・レーニン主義一辺倒となり、そのソ連が崩壊して、とくに日本では「社会主義」は完全に死語と化してしまった。「労農派の伝統」も同じ運命に流されているわけだが、米国のトランプ路線に対抗する「新時代の中国の特色ある社会主義」の習近平路線とともに、講座派との対立の次元を超えて、さらに戦前に遡って土着社会主義としての「労農派の伝統」を再検討する意義は真に大きいと思う。その意味で、「労農派系の学者たちは、――マルクス理論を経済学にかたよらせてとらえる経済主義的傾向をまぬがれていない。こうした傾向を克服しながら、マルクス理論の現代的発展を試みることが、彼らに残された課題であろう。」上山氏の提起だが、では、どうするのか？

（注）後に論争の内容にも簡単に触れるが、日本革命に関するコミンテルンの三二年テーゼに関連して、岩波書店から『日本資本主義発達史講座』（一九三二〜三三年）が刊行され、それに依拠した研究グループを講座派、対抗的に主として雑誌『労農』（一九二七年創刊）に依拠した研究グループが労農派である。但し、ここでの労農派は、上山氏も同様であるが、ロシア革命以前から、堺利彦、山川均などともに活動したグループの呼称である。

上山氏は、講座派と対抗する労農派の路線については、山川均の整理を紹介していた。講座派は外圧型・権威主義・前衛型であり、労農派は内発型・土着主体的社会主義だが、「共産党や講座派が、レーニン主義ないしスターリン主義を権威主義的に信奉する受動的な思想態度を脱しきれないのに対して、労農派が一方において、土着的な民主主義運動の伝統を継承しながら、他方において、マルクス理論の研究を深め」、「日本土着の社会主義思想の貴重な遺産を見いだすことができるのではあるまいか」として、土着性の継承としてはマルクス主義の「思想の内容」よりも「むしろ思想の態度なのである」と述べる。そして、中江兆民や内村鑑三の思想を挙げ、「労農派のマルクス主義摂取の態度に通じる内発性ないし土着性が認められる」とした上で、その「態度」の確立として「労農派教授たちの先輩として、第一に挙げなければならないのは、堺利彦であろう」と述べ「堺利彦と労農派」に絞り込んでいる。

さらに大内兵衛『経済学五十年』から「戦争で焼けたぼくの家の応接間には、堺枯川の〈棄石埋草〉という額がかかっていた。――僕は、あの字が好きであり、あの文句がすきであった。堺さんはステ石ウメ草だろうか。それ以上のものだろうか。日本社会主義がもし他日立派に立ち上がるとすれば、彼のステ石ウメ草の上にであろう」（上巻八三頁）を引用し、こう述べている。「労農派の立場は山川均によって確立されたのであるが、山川の思想形成は堺に負う所が大きい。山川が堺と行動を共にするようになったのは、明治三九年からであり、この年の一二月に、山川は幸徳秋水にまねかれて郷里岡山から上京し、日刊『平民新聞』の編集に参加した。当時、山川はしばしば堺と幸徳の討論に立ち会ったという。」（上山、一八〇頁）堺、山川、そして幸徳の名前も出てきたが、われわれも土着社会主義の源流地点に到着したようである。(注)

（注）以下、労農派グループとしては、堺利彦と山川均を代表とするが、ここで簡単な略歴を書いて置きたい。
　堺利彦（一八七一～一九三三）は、現在の九州・福岡県京都郡みやこ町に没落士族の三男として生まれた。地元の豊津中学校を卒業後、上京して第一高等中学校を中退、大阪、福岡で新聞記者、教員を務めながら文学の世界を志す。その後、『萬朝報』の記者として活躍、日露戦争に対し幸徳秋水などと反戦論の立場で退社し、「平民社」を立ち上げ「平民新聞」を発行。非戦論・社会主義の運動を起こす。号は枯川、別名は貝塚渋六。

　山川均（一八八〇～一九五八）は、岡山県倉敷市に生まれ、同志社中学に学び、一九〇〇年中退して上京、『青年の福音』に掲載の「人生の大惨劇」が、最初の不敬罪に問われた。出獄後、いったん倉敷に戻るが、再び上京し、堺などの「平民新聞」に参加・活動した。堺がどちらかといえば文芸、思想面の中心とすれば、山川は理論面で活動をリードした。

# 第２章

# 土着社会主義の水脈を求めて

## 1　堺利彦の「社会主義鳥瞰図」

一九〇六年（明三九）幸徳秋水に招かれ、岡山から上京し堺利彦の『平民新聞』の編集を手伝っていた山川均は、国家論をめぐっての堺と幸徳秋水の討論に立ち会っていた。「幸徳の無政府主義と堺のマルクス派的な社会主義とが鋭利に対立し、二人の議論は次第にハサミ状にはなれてゆくばかりで、――二人は（少なくとも理論の上では）タモトを分かつほかなかった。二人の議論は何度となくこの点にきた。しかし幸徳のがわでも堺のがわでも、実際運動の上ではどうしてもタモトを分かつに忍びないものがあったと思う。そこで議論はまた出発点に立ちもどり、明日に明後日に持ちこされた。」（山川『自伝』二八三―四頁）無政府主義と「マルクス派的な社会主義」の対立が、日本でも土着社会主義の水脈の中で渦を巻いていたのが判る。同じような対立が少し遡って一八七〇年代、パリ・コンミュンをめぐるマルクス派対プルードン無政府主義派の対立にも似た思想的対立だったように思われる。この対立の中で、マルクスも『フランスの内乱』を書き、エンゲルスの「プロレタリア独裁」論とは別に、組織的統一に腐心したにもかかわらず、第一インターは一八七六年に組織面から崩壊、解散してしまった。（注）マルクスにとっても、ここで手痛い政治的失敗を犯したことになる。こうした中で、六〇年代『資本論』刊行のあと、七〇年代「晩期マルクス」の思想的転機が訪れていたことも、ここで念のため指摘しておきたい。

（注）エンゲルスの「プロレタアリア独裁」論は、パリ・コンミュンの経験を踏まえて定式化された。それに対しマルクスは一定の距離を置いていたようであり、そこにエンゲルスと違った「晩期マルクス」の立ち位置があったように思われる。その点については、本書の最終章、ならびに付章などを参照されたい。

さらに土着社会主義をめぐる思想的対立の循環の渦中で、無政府主義と「マルクス派的な社会主義」の立ち位置を確かめるために、ここで堺自身が整理してまとめた『社会主義鳥瞰図』（次頁）を予め提示し、それに従って組織的対立の流れをみることにしよう。ただ、この『鳥瞰図』は、幸徳秋水が一九一〇年（明治四三）の「大逆事件」で逮捕され、翌年に死刑の判決、すぐ執行の後に書かれた。大逆事件によって、無政府主義の直接行動派の運動は壊滅状態、政治的には大正デモクラシーの到来まで、いわゆる「冬の時代」を迎えたのであった。ただ、生き残った大杉栄や荒畑寒村らは、一九一二年（大正元）には『近代思想』を創刊、思想面の継承だけがはかられた。

まず対立する議会主義派の片山潜だが、上述した明治三〇年前後、安部磯雄などアメリカ帰りの社会主義者の中心として、初期の社会主義運動、労働組合運動を組織していた。「東京市電ストライキ」なども片山が指導し、そのため逮捕、投獄された。翌年、年号が明治から大正に変わり、新天皇即位の大赦で出獄した。しかし片山は、一九一四年（大正三）に日本を捨ててアメリカに亡命、さらに一七年のロシア革命の成功を見てとり、アメリカ共産党、メキシコ共産党の結党にも協力して、「マルクス・レーニン主義」に大きく転換した。そのうえで一九二一年（大正一〇）にはソ連に渡り、コミンテルン常任執行委員会の

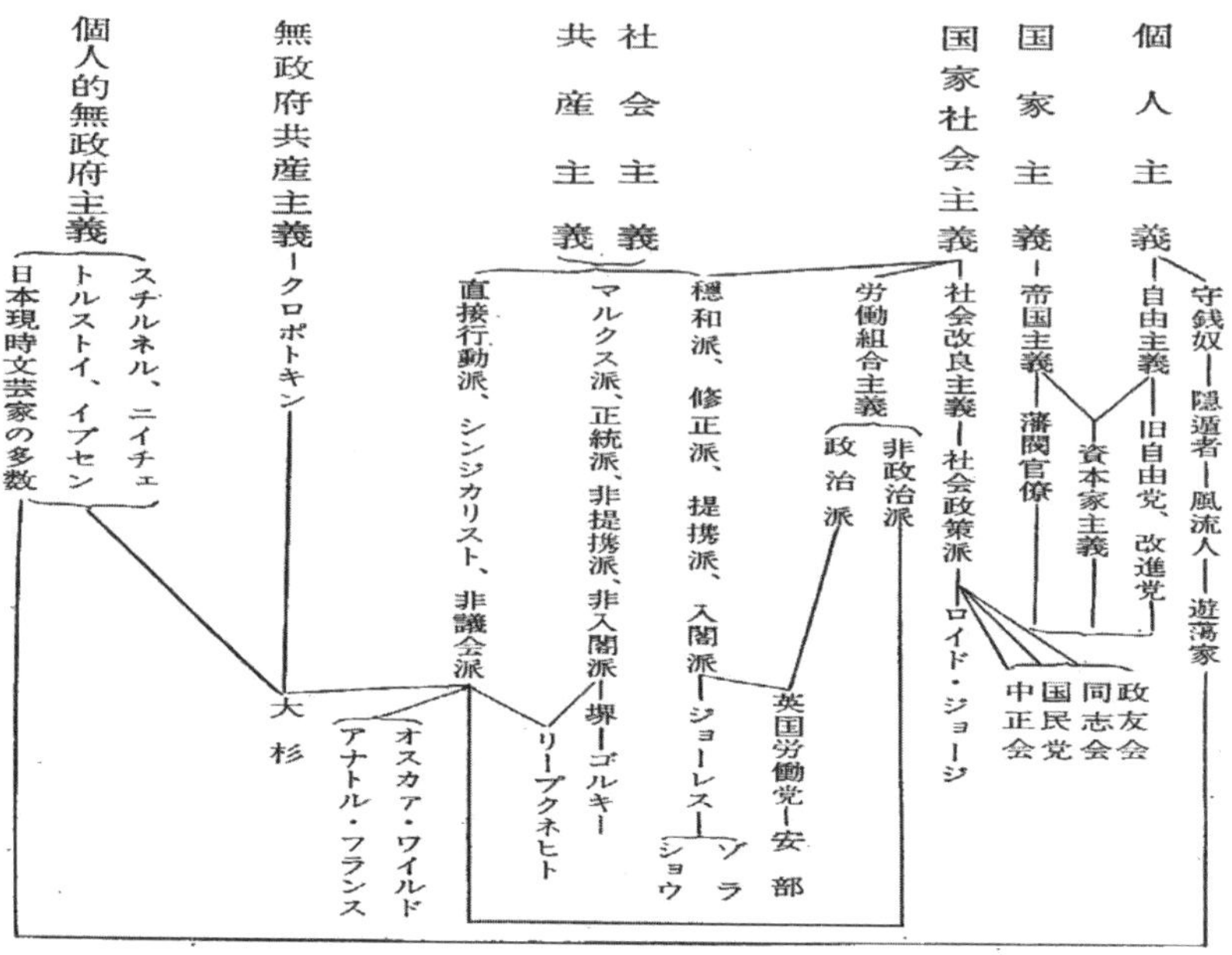


堺利彦の「社会主義鳥瞰図」
（宇野弘蔵著『資本論五十年』から転載）

幹部、国外から日本共産党の結党などを指導した事情などについては後述する。

こうした経過からすれば、大逆事件の後の「冬の時代」は、社会主義をめぐる分派闘争も完全に凍結されてしまった。大きく見れば無政府主義VS国家社会主義の対立図式の中で、いわば中間的地位にあり、セクト的調整と共に、自由民権運動やキリスト者とも連携しようとした「日本型共同戦線党」とも言える堺利彦、そして山川均などの立ち位置は、どのようなものだったのか？　堺利彦の『鳥瞰図』は、一九一四年（大正三）に書かれたもので、(注)上述の通り大逆事件で無政府主義の幸徳秋水が犠牲になり、国家社会主義の片山潜はアメリカに亡命して日本を去ってしまった。そんな日を迎えて、

「大杉栄君と僕」という文書を書き、それの説明として『鳥瞰図』を付けているのだが、時代的背景と共に、堺や山川の思想的立ち位置が興味深く書かれている。説明文もじつに面白いので紹介する。

（注）この鳥瞰図は一九一四年のものであるから、一九一七年のロシア革命以前のものであり、「マルクス・レーニン主義」の教条的立場は対象に無い。それだけにソ連崩壊後の今日、「マルクス・レーニン主義」の教条を超えるためには、参考にすべきだと思うので掲載する。なお、同じような①無政府主義の直接行動派②正統的マルクス派③穏和的修正・議会派の三派の対立が、W・モリスをめぐるイギリスのマルクス主義運動にも発生していた点も面白い。ハインドマンが設立した、イギリスで最初のマルクス主義の組織「社会民主連盟」で内部対立が生じてモリスやバックスらが脱退したように、新たに作った「社会主義同盟」も運動方針をめぐって意見の相違が次第に顕著になった。図式化するなら、組織の勢力拡大を目指して議会政治に打って出るべしと主張する議会派と、あくまで議会政治とは一線を画して、労働者階級の教育と組織化によって社会主義社会をめざそうと主張する革命派、加えてテロ活動をも肯定するアナキスト武闘派も勢力を増してきた。」（『社会主義』三二〇―二一頁）もちろんモリス達は「革命派」であるが、ソ連型プロレタリア独裁も、権力を奪取し上からの中央集権・指令型計画経済を目指す点では、参加介入型の権力による上からの改革の社民型議会派と同根ともいえるであろう。

「日本の社会主義運動に三派の別が生じていた。今でもボンヤリその形が残っている。

一、穏和派（あるいは修正派）

一、マルクス派（あるいは正統派）

一、直接行動派（あるいは無政府的社会主義）

これをひとについて言えば、安部礒雄君は右翼に属し、幸徳秋水君は左翼に属し、僕自身は中間派に属していた。そのうち、幸徳君は殺されたが、安部君と僕はほぼ昔のままの立場で続いている。そして今日、幸徳君の立場を継承している者は、すなわち大杉栄君である。――すべて主義態度の範囲は、そう明瞭に区分することのできるものではない。実際運動に当たっては、種々の便宜上、どこかに一線を画して、党派団体の区分をつけるけれど、理論の上から見るときには、あらゆる思想はみな濃淡のボカシをもって連続しているのである。この関係をやや明瞭に示すために、左に一つの表を作ってみる」として『鳥瞰図』を提示する。さらにその上で、こう述べている。

「面白いことは、社会主義の左端なるシンジカリストと、その右端のまた一歩右なる労働組合主義の一半とが、その非政治派、非議会派たる点において一致していることである。進歩派と保守派とその両端において、かえって相近づくは注意すべき現象である。また左の表の全体を見渡すと、左端も右端も同じく個人主義で、ここにも思想の輪が一周してさらに相近づかんとする形が現れている。実例をもってこの点を考えてみるに、極端なる自由貿易論者や自由競争論者は、政府の干渉をできうべきだけ排除し、個人の活動をできうべきだけ拡大する点において、すこぶる無政府的傾向を有している――」と。

すこぶる面白い、いかにも堺らしい整理ではないか？　党派的イデオロギーの決めつけはしない。そして、相互の連携の可能性を探る点では、後の労農派の「日本型共同戦線」党的発想がここで十分に伺われる。また、鳥瞰図とは言うものの、その目線は上からの垂直的なものではない。あくまで水平的なネットワークを念頭においているのが判る。「あらゆる思想はみな濃淡のボカシをもって連続している」と述べて、分派的、かつセクト的対立を極力抑制しようとしている。さらに左右両派の対立についても、「左の左は右、右の右は左」と言わんばかりの円環論法でイデオロギー的対立を回避する配慮が強い。

念のため指摘しておくが、ここで堺利彦の『鳥瞰図』を引用・紹介するについては、宇野弘蔵『資本論五十年上』の冒頭、第一章「社会主義を知る」に出てくる次の質疑によることを付け加えておく。

「――ぼくが社会主義を初めて知ったのは中学校から高等学校へかわるという時だった。大正三年か四年のころです。

○○やっぱり堺利彦、大杉栄というような人の書物で――

――堺さんです。」

この直ぐ後に『鳥瞰図』を挙げ、「僕にはあれが非常におもしろかった。――一番右が守銭奴、隠遁者、遊蕩者等の個人主義、その次が国家主義とかというようにね。一番最後に無政府共産主義から個人的無政府主義というので右につながることになる。社会主義の堺氏やサンジカリズムや無政府共産主義の大杉氏らはその中の左翼にいるわけだ。」後に詳述する土着社会主義としての宇野・三段階論の方法が、堺利彦の『鳥瞰図』の水系にあったことを、ここで予め提起しておきたいと思う。(注)

（注）宇野氏は岡山県倉敷市の出身で、自らも「倉敷もん」と自称していた。その点、同郷で、近所でもあった山川均氏に特に親近感を持ち、『資本論五十年』でもわかるが、理論面で色々影響を受けていた。しかし、思想的な面では、とくに堺利彦氏からの影響が大きかった点が伺われる。

## 2　田中正造の直訴状と幸徳秋水

ところで、三・一一東日本大震災から三年を経過した二〇一四年五月二一日、ＮＨＫニュースは、当時の天皇皇后両陛下が「栃木県佐野市に郷土博物館を訪れ、足尾鉱毒問題に取り組んだ田中正造の直訴状などをご覧になりました」と報じた。あまり話題にならなかったが、少し詳しく紹介しておきたい。

両陛下は「二一日から二二日にかけて、私的な旅行として、足尾鉱毒問題の解決に一生をささげた田中正造の遺品などを展示する佐野市郷土博物館などを訪問されました。

佐野市の郷土博物館には、田中正造ゆかりの資料を展示するコーナーがありますが、普段は防犯上の理由や劣化を防ぐために、直訴状は複製を展示しています。今回は両陛下の訪問に合わせて四年ぶりに実物を展示しました。

田中正造が直訴に及んだのは一九〇一年（明三四）一二月、帝国議会の開院式から皇居に戻る途中の明治天皇の馬車行列に鉱毒被害を訴える直訴状を手に駆け寄りました。

しかし、警備の警官に取り押さえられ、釈放された後、直訴状も返されました。

山口館長は〈時代背景など全く違いますが、明治天皇にはご覧いただけなかった直訴状が一一三年たって天皇陛下にご覧いただいたのは感慨深いです。仮に正造が生きていたらどんな感想を漏らすかなと思いました〉と話しました。

館長と共に両陛下を案内した佐野市の岡部正英市長は〈震災があったことなどで環境問題へのご関心から、佐野に来ていただけたと思います〉と話しました」

以上、ＮＨＫニュースだが、いくつか大事な論点が提起されている。

①両陛下が、公的ではなく、わざわざ「私的な旅行」として佐野市に出かけ、田中正造の直訴状を直接ご覧になった。

②直訴状の内容だけなら、複製があるし、印刷物でも読める。しかし、一一三年たった今日、明治天皇に代って実物を受け止められた。

③東日本大震災、とりわけ東京電力・福島第一原発事故との関連でも、直訴状を今日お読みになる意義をお感じになっていた。

とくに東日本大震災でも、渡良瀬川下流から基準値を超える〈鉛〉が検出されるなど、鉱毒問題が今日も続いている。さらに、福島第一原発問題の解決が、日に日に遠ざかり、被災住民の帰還への希望が絶たれ、故郷を奪われ、わが村、わが町を捨てなければならない。しかも原発再稼働が既定路線になり、国の責任であるはずの放射能除染も十分進まないまま、中間貯蔵施設の国有化が進む。こうした足尾鉱毒事件一一三年後の福島の現実は、谷中村の強制捨村・棄村・廃村の現代版ではないのか？

福島第一原発の被災者住民の立場を、被災地住民への慰問だけで済ますことができない。谷中村の捨村・

棄村・廃村と田中正造の直訴状を重ね合わせながら、両陛下は被災地住民の立場を理解しようとする。そして政治や行政の無責任に対して、憲法の「象徴天皇制」、国家元首としての責任を感じておられるのではないか？(注) 老骨の病苦を推して、さらにその後の「生前退位」を考えながら、あえて佐野市郷土博物館の私的訪問の道を選ばれたと思う。

（注）ここで象徴天皇制の議論に立ち入ることは出来ないが、当時の天皇（現、上皇）が国事行為としてではなく、私事行為としてではあっても、幸徳・田中の直訴状をご覧になり、事実上お受け取りになった意味は大きいと思う。象徴天皇制について、自ら身をもって実践され、具体化する努力は、佐野市郷土博物館への私的訪問でも提起されたと思われる。

さて、田中正造の直訴状だが、じつは正造自身が書いたものではない。直訴の前日の一二月九日、後に大逆事件で死刑になった幸徳秋水のもとを正造が訪れた。幸徳が書いたものを、正造が一部修正、加筆、捺印したものとされている。正造は、一八四九年（嘉永二）に下野の名主の家に生まれ、一七歳で名主を継ぎ、そのご栃木県議会議員、その時点で自由民権運動の組織化のため立憲改進党に入党、当時の県令・三島通庸の圧政に抗してたびたび入獄、足尾鉱毒事件の前に自由民権運動家として活躍していた。そのご県議会議長、さらに国会開設で一八九〇年（明二三）第一回総選挙で衆議院議員に当選、すでに足尾鉱毒事件を国会でも取り上げて活動していたのである。

この時、すでに述べたが同じ衆議院議員で大阪四区から当選していたのが中江兆民だった。その書生であり、「万朝報」の記者として、すでに名文家としても知られていた幸徳秋水に、正造が「ほかに引き受け手が見つからなかった」直訴状を書いてもらったのだ。その上で、当日になり修正加筆、捺印のうえ、正造が直訴に及んだ。秋水は「多年の苦闘に疲れ果てた老体と、その悲壮な決意をみて、いやだということができなかった」と述懐している。少なくともこの時点では、田中と幸徳の二人が、自由民権運動の延長で足尾鉱毒事件に取り組み、明治天皇への上奏分が準備されたことになる。

その後も、発狂者の行動として処理されてしまった田中正造だが、政府が強制的に捨村、廃村を決めた谷中村に移り住み、抵抗運動を続けた。時折、上京しては幸徳などのいる「平民社」を訪問していた。当時の『平民社』には、幸徳の他に堺利彦、木下尚江、石川三四郎、荒畑寒村などがいて、正造の運動を支援した。大逆事件の幸徳秋水は、堺の『鳥瞰図』でもそうだが、アナキズム・無政府主義の代表と位置付けられている。しかし、ここで社会主義者として登場したころの幸徳秋水は、土着の自由民権家らしく、儒教の教えにも強く、年配で民権運動を闘い続ける田中正造に共感したのである。このように明治の自由民権運動の延長上に足尾鉱毒事件をめぐる運動があり、その運動をめぐって「平民社」の活動があり、さらに人的ネットワークが形成されていた。その点で、日本で初めて社会主義の思想をまとめたと評価される幸徳秋水の名著『社会主義神髄』も、秋水は正造に頼まれて明治天皇への直訴状を書いた、そのすぐあと一九〇三年（明三六）に刊行されたことを確認しておきたい。

ここで「平民社」の活動と幸徳秋水の『社会主義神髄』に触れることになったが、合わせて自由民権運動の発展線上で、さきに触れた堺利彦の『社会主義鳥瞰図』との関連を見ておくことにしよう。(注)とくに堺が、自らの立ち位置としている「マルクス派（あるいは正統派）」との関連だが、すでに見たように堺は大逆事件の後、思想的運動の「冬の時代」を迎えて、1穏和派（あるいは修正派）、1マルクス派、そして1直接行動派（あるいは無政府的社会主義）の三系統、三派鼎立の図式が提示されていた。少なくとも大逆事件の前、一九〇〇年ごろの時点では、マルクス派と直接行動派を中心に「平民社」がネットワークをもって、足尾鉱毒事件など自由民権運動をも継承する接点が生きていたのである。

（注）自由民権運動と堺たちの「マルクス派社会主義」との関係は、従来ほとんど取り上げられてこなかったが、田中正造と幸徳秋水を含め「平民社」の活動が今日でいうプラットホームになっていたし、それを通して労農派の土着社会主義が形成されてきた点を強調しておきたい。

## 3　正統マルクス派と堺利彦の立ち位置

日本における社会主義の導入といえば、すでに述べた通り初期の時点では、主として『鳥瞰図』によると「穏和派（あるいは修正派）」の系列であり、アメリカから帰朝した人達が中心だった。とくにキリスト教の信仰と結びついていたし、そのように紹介されてもきた。具体的には、アメリカの労働運動を研究して帰国した高野房太郎、片山潜が中心になって、足尾鉱毒事件の少し前になるが、一八九七年（明三〇）にアメリカの労働運動組織ＡＦＬを模倣した「労働運動期成会」が結成された。しかし、労働運動期成会はやがて労働組合運動派と社会主義運動派の二派に分かれて対立した。一八九八年には、片山潜などはキリスト教的社会主義を説く安部磯雄らと共に「社会主義研究会」を組織し、ここで日本の社会主義が呱々の声を上げたと言われている。(注)従って「土着社会主義」との対比で言えば、正しく「外来社会主義」だが、さらに一九〇〇年「社会主義協会」を組織し、欧米の社会主義思想の研究・紹介、それを啓蒙宣伝する活動が開始された。

（注）戦前の社会主義が、アメリカからの労働運動やキリスト教的社会主義の導入によるものであり、その後さらにロシア革命によるマルクス・レーニン主義に依ったために、社会主義はもっぱら「外来思想」を代表するように受け取られてきた。そのためもあって、ソ連崩壊により「社会主義」は死語と化してしまった。しかし、脱「マルクス・レーニン主義」のためにも、自由民権運動を含めて「土着社会主義」の潮流の発

掘と再評価が必要であろう。その上で日本型「共同体社会主義」の位置づけを試みたい。

同時に片山潜や安部磯雄などは、一九〇一年（明三四）に社会民主党の結成に乗り出した。その結社宣言では、社会主義、民主主義、平和主義を謳い、さらに平和的な階級制度の廃止、土地・資本の国有化、普通選挙や教育の均等化など、特定の思想的立場に立つものではなかった。したがって賛同者も幸徳秋水、木下尚江、西川幸次郎など、その多くが自由民権派やキリスト教の関係者だった。にもかかわらず明治政府は、結党届に対して即日結社禁止、わが国の社会主義運動は早くも流産した。ただ、そのため結果的には、上記「社会主義協会」を中心とした社会主義思想の紹介、啓蒙活動が盛り上がることになった。その際、思想の流入は後進的なるがゆえに、欧米先進国の社会主義が一挙に、幅広く、かつ同時に進められ、いわゆる空想的社会主義から、マルクス、エンゲルス、さらにレーニンの著作まで、同時に広く紹介された。また、幸徳秋水の上記『社会主義神髄』も刊行されることになった。

なお、ここで注意したいのは、幸徳の『社会主義神髄』では、参考文献としてマルクス・エンゲルス『共産党宣言』、マルクス『資本論』、エンゲルス『空想から科学へ』と並んで、とくにモリス・バックスの共著『社会主義』が挙げられたことである。しかも幸徳は「社会主義の効果」として、モリスの主張を具体的に引用紹介している。「ウィリアム・モリスは曰く、〈人が財貨の為に心を労するなきに至るも、技芸、萬有、恋愛等は、人生に与ふるに趣味と活動とを以てす可し〉と。」つまり、社会主義における芸術や恋愛の高度な自由について、具体的に紹介しているのである。すでに別の機会にも触れたが、モリス・バックスの『社会主義』は、一八七〇年代『資本論』執筆後の「晩期マルクス」の思想形成において、マルクスとモリス達との重要な接点をなしている。(注)また、モリスの名作ファンタジックロマン『ユートピア便り』の理論的基礎を提供しているし、当時アメリカでベストセラーだったベラミー『顧みれば』に対抗する作品だった。

（注）後述するが、モリスとの共著『社会主義』に先行してバックスは、マルクス『資本論』を一八八一年一二月、イギリスの月刊評論誌『モダーン・ソート』に「現代思潮の指導者たち　第二三回　カール・マルクス」として好意的に評論した。それを読んだマルクスは、「現代の社会主義に対して真正な関心を示している最初のイギリスの批評家」の評論として、最大限の賛辞を述べている。それを受けてバックスは、同志モリスと『資本論』をさらに熟読、マルクス主義の思想団体『社会主義者同盟』の機関紙"Commonweal"に共同で執筆したのが「社会主義：その根源から」（一八八六〜八八）であり、それを基礎にモリスの『ユートピア便り』も連載された。その上で、共著の形で一八九三年に刊行されたのが本書『社会主義：その成長と帰結』である。サブタイトルが「その根源から」と「その成果と帰結」に変った点が興味深い。

ベラミー『顧みれば』は、最近の「ベーシックインカム」論の源流ともいえる国家社会主義論のファンタジーであり、それに反対してモリスは、正統マルクス主義の立場から、共同体社会主義（コミュニタリアニズム）にもとづくベラミー批判を展開した。その点では国際的な社会主義論争だったのであり、とくに幸徳がモリス・バックス『社会主義』を紹介し、さらに堺利彦がモリスの『ユートピア便り』を抄訳として『理想郷』のタイトルで平民文庫から刊行した。堺は「鳥瞰図」では、自ら「マルクス派（あるいは正統派）」として国家社会主義の流れである社会改良主義、労働組合主義から区別し、さらにすでに激しく論争し対立を深めていた無政府主義からも自己の立場を区別していた。堺の「鳥瞰図」は、いうまでもなくロシア革命以前、つまりソ連型社会主義＝マルクス・レーニン主義以前の系統図になるわけだが、それだけにソ連崩壊後の今日こそ、その意義が遡って見直されるべきではなかろうか？　マルクスと比べると、エンゲルスはモリスを空想的社会主義者の一人として敬遠し、排除する傾向が認められる。そのためエンゲルス・レーニンの流れでは、いいかえればマルクス・レーニン主義の立場からは、モリスやバックスは評価されることなく、とくに戦後日本では完全に無視され続けてきた。

モリスも『ユートピア便り』の翻訳などは、文学作品として評価されたが、とくにモリス・バックスの『社会主義』は、幸徳の『社会主義神髄』の高い評価にもかかわらず、紹介も翻訳もないまま放置され続けてきた。(注)さらにいえば、早くから手掛けていた安部磯雄のマルクス『資本論』の翻訳が遅れに遅れ（明四二―三に片山潜の『社会新聞』に一部連載）、そのため独語の『資本論』の翻訳に代って、労農派の理論家・山川均が英語のモリス・バックス『社会主義』の中の「科学的社会主義」の部分を、『大阪平民新聞』第六―九号一九〇七年（明四〇）に連載、紹介したのである。これこそ日本で初めての『資本論』第一巻の本格的紹介だが、モリス・バックスの『社会主義』を通して、しかも山川均の手によって訳出されたことは、特筆されるべきではないか？　そうしたマルクス主義の導入との関連があるからこそ、堺は自らマルクス主義の「正統派」と称して、片山潜などの国家社会主義派、そして幸徳秋水の無政府主義派から区別して、自らの立場を「鳥瞰図」に書いたものと思われる。

（注）戦前は、幸徳にせよ、堺にせよ、マルクスからW・モリスの流れについて、「正統派」マルクス主義として紹介され、それなりに評価されてきた。そうした紹介、評価が、とくに戦後になり消失してしまったのは、不思議な話というほかない。考えられる理由の一つは、バックスについてはともかく、モリスに対するエンゲルスの冷たい評価である。すでに紹介したが、エンゲルスはモリスを「ユートピア社会主義者」（日本では「空想的社会主義者」だが）として敬遠し、排除した。モリスが『資本論』とともに、R・オーエンの著作を読み、高く評価していたからだろうが、さらに「根深くもセンチメンタルな社会主義者」といったメンタルな点でも相性が悪かった。その背後には、さらにパリ・コンミュンで「プロレタリア独裁」をテーゼとするエンゲルスにとって、モリスたちの「共同体社会主義」が受容できなかったと想像される。こうしたエンゲルスとの対立もあり、日本では例えばモリスについて「マルクスの著作を研究したが、マルクス主義の本質は理解できなかった。エンゲルスはそれを〈心情的〉と評している」（石堂清倫『現代マルクス＝レーニン主義事典』）と紹介されてきた。こうしたモリス評価が続き、さらに『社会主義』も無視されてきたものと思われる。この点については、訳書の解題、拙稿『モリス＝バックスの「社会主義」思想と日本』を参照されたい。

なお、対立していた国家社会主義派は、高野房太郎にしても、片山潜、安部磯雄、いずれもアメリカ留学組であり、クリスチャンが多かった。それに比べれば、幸徳と堺は、海外留学の経験もないし、宗教的な色彩も少ない。むしろ漢学や儒教を学んだのであり、二人に共通していたのは、その才能はともかく、文学青年として新聞などに勧懲小説を書いていたことが、一八九二年に創刊された『万朝報』に二人が相次いで入社した理由だろう。しかし、二人は日露戦争反対のため退社、一九〇三年の「平民社」の立ち上げと共に、機関誌として『平民新聞』の発刊に従事することになった。とくに幸徳は、健筆を生かしレーニン『帝国主義論』より一五年も早く、独自の帝国主義論として『廿世紀の怪物帝国主義』を書き、さらにマルクス『資本論』、モリス・バックス『社会主義』を紹介した上記『社会主義神髄』も書いた。しかし、「鳥瞰図」の通り、幸徳は急速に無政府共産主義の方向に転換したのであり、モリス・バックスの正統マルクス派の堺・山川たちから離れることになる。とくに、一九〇五年初め「平民新聞」が発行禁止で廃刊、平民社も解散の後、幸徳は米・サンフランシスコに出かけ、「桑港社会党」にも入党した。沢山の日本人出稼ぎ労働者と共に無政府主義、サンジカリズムの洗礼を受け、わずか半年間の短い滞米亡命生活から帰国した。

帰国した幸徳は、日刊「平民新聞」の発行を進め、上述の通り岡山・倉敷から山川均を誘い、堺とも一緒に活動した。しかし、この時点では既に幸徳と堺の対立、つまり幸徳の無政府主義と堺の「正統マルクス主義」との論争は、もはや「二人の議論はしだいにハサミ状にはなれてゆくばかりで——タモトを分かつほかなかった。」そうした中で幸徳が巻き込まれた「大逆事件」（一九一〇年）が起きたのだが、堺・山川は赤旗事件（一九〇八年）のため禁固刑で入獄中だったので逮捕を免れた。（注1）そのため大逆事件の後の「冬の時代」、残された堺は獄中で考えた「しのぎ」の構想「売文社」を設立して、雑誌『へちまの花』、次いでその後継誌『新社会』の編集・発行はじめ各種事業を立ち上げ、救援活動と共に生活の糧とした。さらに、全国の社会主義の関係者との連絡や生活の援助や維持に努力した。そうした活動自体が、晩期マルクスからモリス・バックスの共同体社会主義コミュニタリアニズムの実践でもあったわけで、こうした堺の思想形成と人生体験については、黒岩比佐子の名作『パンとペン：社会主義者・堺利彦と「売文社」の闘い』を是非とも参照されたい。(注2)

（注1）ここで大逆事件に立ち入ることは出来ないが、当時の政府がフレームアップによって、幸徳秋水をはじめとする社会主義者、とくに無政府主義者の活動を一掃しょうとした事件である。戦後になって、天皇などの暗殺計画に少しでも参与したのは五名ほどに過ぎず、幸徳秋水などは入っていないとされている。しかし、この事件により、社会主義の運動が「冬の時代」を迎えることになった点が重要だろう。

（注2）本書への評価を含めて、共著『土着社会主義の水脈を求めて』の第一部第1章、6「明治二十年代の幸徳秋水と堺利彦」第2章、3「幸徳秋水の社会主義」4「堺利彦の社会主義」5「平民社と堺利彦の夢」6「幸徳秋水が垣間見た夢」、さらに第3章3「夏目漱石と堺利彦」第4章1「堺利彦と売文社」などを参照のこと。堺の思想と人生がクロノジカルに書かれていて面白い。

# 第３章

# 土着社会主義としての労農派の位置づけ

## 1　晩期マルクスとコミュニタリアニズム

二〇一八年は、マルクス生誕二〇〇年、その前の年二〇一七年が『資本論』一五〇年の節目だった。一部関係者の努力と期待にもかかわらず、日本ではマルクス主義のブームは起こらなかった。「すでに日本ではマルクス経済学は絶滅危惧品種である」との近代経済学からの冷たい評価を痛感する。しかし、国際的には中国など、新しいマルクス主義の再評価の動きもあり、とくにソ連崩壊による「マルクス・レーニン主義」の失権に代る、マルクス主義の根本的な見直しが要請されている。その際、上述の初期マルクスや後期マルクスに対して、新たに「晩期マルクス」の位置づけ、とくに「コミュニズム」（共産主義）に対する「コミュニタリアニズム」（共同体社会主義）に着目の必要があると思う。ロシア革命以来、戦前・戦後を通じて「マルクス・レーニン主義」の覇権主義的支配が強く、その反動としてソ連崩壊により「社会主義」が死語と化した感も強まった。しかし、上述のモリス・バックスの『社会主義』を含めて、西欧の社会主義の源泉は広く、かつ深い。その点では、「マルクス・レーニン主義」の専制こそ異常な時代だったのであり、今や正常化を取り戻す時代として、モリス・バックスの『社会主義』と「晩期マルクス」の接点を再確認する必要があろう。

すでに紹介の通り、日本では幸徳秋水が『社会主義神髄』において、マルクス『資本論』、エンゲルス『空想から科学へ』などと共に、モリス・バックスの共著『社会主義』を紹介し、強く推奨していた。その共著『社会主義』では、とくにマルクス『資本論』を「第一九章科学的〈社会主義〉―カール・マルクス」と大きくページを割いて紹介している。すでに述べたが、じつは『社会主義』のまえに、イギリス最初のネーーティヴによるマルクス主義団体「民主連盟」「社会民主連盟」、「社会主義者同盟」が生まれ、(注)マルクスの三女エリノアと同志的に活動していたE・Bバックスが、当時まだ『資本論』の英訳が出ていなかったが、一八八一年一二月、月刊評論誌『モダン・ソート』に「現代思潮の指導者たち、第二三回―カール・マルクス」を書いた。それを送られたマルクスは「ロンドンのウェストエンドの壁に、ビラにより大文字で告知された論説の発表は、一大センセーションを生んだ。――愛する妻が生涯の最後の日々に、それにより元気づけられたことである。君も知っての通り、彼女はこうしたすべてについて強烈な関心を寄せていたのだ。」ゾルゲにはコピーを送り、さらに英仏の多くの関係者にも、コピーと共に「現代の社会主義にたいして真正な関心を示している最初のイギリスの批評家なのです」と言った書面を送っている。

(注)マルクスは約半生をロンドンに住み、大英博物館の図書室を利用して『資本論』を書いた。『資本論』はドイツ語で書かれたが初版一〇〇〇部は、なかなか売れなかった。しかし、ロシア語版、続いてフランス語版と大陸で売れはじめ、モリスもフランス語版『資本論』を読んだ。英語版は遅れに遅れマルクスの死後一八八七年になって出版された。また、マルクス主義の組織も「共産主義者同盟」など、イギリスへの亡命者の団体が多く、ネーチィブの団体は、ようやく一八八一年H・Mハインドマンにより民主連盟（the Democratic Federation）が様々なクラブや団体を集めて設立された。バックスもモリスもそれに参加したが、八四年に社会民主連盟（the Social Democratic Federation）と改称、しかしモリス、バックスたちは、マルクスの三女エリノア・マルクスとともに、新たに社会主義者同盟（the Socialist League）を組織した。

こうした事情については、拙稿「E・B・バックス 英国初の『資本論』評論」(「変革のアソシエ」No.31)、また訳書『社会主義』の付録2「奇妙な二人組」—モリスとバックスの協働作業(川端康雄稿)を参照のこと。

それから一年ほどで最愛の妻を追うように、マルクスもまた一八八三年三月に他界した。マルクスから高い評価を受けたバックスは、当時仏語訳『資本論』を熟読していた同志モリスと共に、社会主義者同盟の機関紙「コモンウィール」にファンタジックロマンの代表作『ユートピア便り』とともに、『社会主義』を長期連載した。それをさらに共著として「第二〇章たたかう〈社会主義〉」「第二一章勝ちとられた〈社会主義〉」などを書き加えて一八九三年に刊行されたのである。こうした事情を考慮すると、マルクスとモリスは直接の接点はないようだが、エリノア・マルクスと共にバックスとの関係、とくにバックスとしては上記『モダン・ソート』にたいするマルクスの高い評価を受け、さらにモリスを誘って文字通りの共同作業として『社会主義』を刊行したのである。『社会主義神髄』の幸徳秋水、さらに堺利彦、山川均などの労農派グループが、上述の通り鳥瞰図の「マルクス派(あるいは正統派)」として、マルクスを継承することになった事情に関連して、ここでも強調しておかねばならない。

では、戦前の日本、ロシア革命による「マルクス・レーニン主義」が正統化され教条化される以前の段階において、堺や山川が上記「マルクス派(あるいは正統派)」と自称していたマルクス主義とは何だったのか? 初期マルクス・エンゲルスの唯物史観、もしくは政治文書『共産党宣言』か? 中期の『経済学批判』のそれか? 純粋資本主義の抽象による自律的運動法則の『資本論』の世界か? それとも一八七〇年代、パリ・コンミュンなど共同体ブームを踏まえた「晩期マルクス」の地平なのか？　我々の結論を先に言わせてもらえば、「晩期マルクス」による共同体社会主義（コミュニタリアニズム）のそれであり、そこにまたモリス・バックスの『社会主義』とマルクスとの接点があったことは、上記のバックスによる月刊評論誌『モダン・ソート』のマルクス『資本論』の評論に対するマルクスによる最大限の賛意表明からも明らかだと思う。また、一八七〇年代、「晩期マルクス」については、すでに別の機会に論じたし、本書では第8章で再論するので、以下要点だけを摘記するだけにとどめたい。

第一に、一八六七年『資本論』第一巻が刊行された後、一八七〇―七一年普仏戦争が起こり、ナポレオン三世のフランスが敗退した。それに伴い「パリ・コンミュン」が、リヨンやマルセイユなどのコンミュンと共に、市民の都市防衛闘争として立ち上がった。パリ・コンミュンについては、「世界初の社会主義革命」とか、「世界最初のプロレタリア独裁政権」などと呼ばれるものの、あくまでも市民による都市共同体の防衛闘争であり、立ち上がった市民もプロレタリアというよりも都市の職人層だし、協同組合などの参加者だった。マルクスも『フランスの内乱』を書いたものの、大量虐殺による鎮圧の後であり、まさに「出し遅れの証文」だった。エンゲルスの「プロレタリア独裁」も、(注)第一インター（国際労働者協会）の内部対立を激化させ、混乱の果てに一八七六年に組織解散を招いた。大変な政治的失敗となったし、『共産党宣言』以来の路線の再構築を迫られたのである。

（注）エンゲルスの「プロレタリア独裁」は、エンゲルス自身が明言しているし、レーニンの評価もあり「パリ・

コンミュン」の経験から定式化され、さらにレーニン『国家と革命』などにより正当化され教条化された。しかし、マルクスの場合、エンゲルス流のプロレタリア独裁については、一定の距離を置いていたように思われるのであり、行論で説明の通り、歴史貫通的な「共同体」の役割に着目し、コミュニズムから共同体社会主義（コミュニタリアニズム）との接点が提起されていたのではないか？　七〇年代「晩期マルクス」における「マルクス・エンゲルス問題」に他ならない。

第二に、パリ・コンミュンをはじめ、共同体・コミュニティに対する関心の高まりもあり、遅れていた原始・古代からの共同体研究が本格化した。共同体研究ブームである。アメリカの文化人類学の先駆者と言われるL・H・モーガンの『古代社会』（Ancient Society）が、一八七七年に刊行されたが、マルクスもそれを読み、ここでもまた長大な「古代社会ノート」（クレーダー編『マルクス古代社会ノート』）を作成している。マルクスにとっては、『経・哲草稿』や『剰余価値学説史』などに続く、いわば最後の「ノートづくり」となった。また、とくにモーガンは、親族を中心に婚姻・家族の制度を基礎に共同体の発展系列を明らかにした。こうした研究に影響されて、エンゲルスも『家族。私有財産・国家の起源』を書き、マルクス主義陣営もまた、共同体研究を基礎に再構築の作業が始まったとも言えるだろう。

第三に、ロシアのナロードニキ、そしてロシア社会民主労働党のメンシェヴィキの理論家、ヴェーラ・ザスーリチからのマルクスへの質問状と、それへの返書がある。この問題については、別の機会に質問状や返書の内容について論じたので繰り返さない。(注)　質問は、初期マルクス・エンゲルス以来の唯物史観、そして「所有法則の転変」に関するもので、『資本論』によればロシアの村落共同体の運命について、「村落共同体は古代的な形態であって、歴史により没落する運命にある」との主張の是非を問うものだった。マルクスは、「この西方の運動では、私的所有の一つの形態から、他のもう一つの形態への転化が問題なのです。これに反してロシアの農民にあっては、彼らの共同所有が、私的所有に転化されなければならないでしょう。ですから、『資本論』で与えられた分析は、農村共同体の生命力を肯定する理由も、否定する理由も提供してはいません。しかし、私が行った特殊研究により、私はこの共同体がロシアの社会的再生の支点だと確信するようになりました」と書き、「所有法則の転変」について、事実上の修正を行ったのである。

（注）この点については拙著『ウィリアム・モリスのマルクス主義』（平凡社新書、二〇一七年）第三章を参照のこと。

なお、それに関連して初期マルクス・エンゲルスの唯物史観の「綱領的文書」として有名な『共産党宣言』についても、とくにパリ・コンミュンと第一インターの組織的瓦解などを踏まえ、修正の意向を漏らしている。『宣言』は歴史上多数の読者を獲得し、『聖書』と並ぶ世界のベストセラーと言われてきた。しかし、パリ・コンミュン後の共同体研究ブームや上記ザスーリチへの返書問題もあり、『宣言』についても、一八八二年ロシア語版序文では、マルクス・エンゲルス連名だが、恐らくマルクスの執筆で以下のように述べている。「『共産党宣言』の課題は、近代のブルジョア的所有の解体が不可避的に迫っていることを宣言することであった。ところが、ロシアでは、資本主義の思惑が急速に開花し、ブルジョア的土地所有が発展しかけているその半面で、土地の大半が農民の共有になっていることが見られる。そこで、次のような問題が生まれる。ロシアの農民共同体は、ひどく崩れてはいても、太古の土地共有制の一形態であるが、これから直接に共産主義的な共同所有という、より高度の形態に移行できるだろうか？」

この設問に答えてマルクスは、上記の「返書」以上に明確に述べている。「この問題に対して今日与えることのできる唯一つの回答は、次のとおりである。もしロシア革命が西欧のプロレタリア革命に対する合図となって、両者が互いに補い合うなら、現在のロシアの土地共有制は共産主義的発展の出発点となることができる。」ここでは初期マルクス・エンゲルスの唯物史観、そして「所有法則の転変」についての修正が明言されている。ロシアに限定されてはいるものの原始・古代の土地共有制に基づくコミュニティの存在とモリス・バックスの『社会主義』、共同体社会主義（コミュニタリアニズム）に向けての視点が明確に提起されていることが確認できる。(注) そのことはまた、初期マルクス・エンゲルスの唯物史観に基づく所有論的アプローチ、すなわちブルジョアジー＝有産階級VSプロレタリアート＝無産階級（「資本対賃労働」ではなく）、国家による統括、世界市場と恐慌、恐慌・革命テーゼ、世界革命とプロレタリア独裁などのテーゼの根本的再検討が要請されたと言えるだろう。

（注）『共産党宣言』の序文については、さしあたり拙稿「共産主義から共同体社会主義へ―脱マルクス・エンゲルス『共産党宣言』」（ロゴス社ブック・レットNo.15）参照。

## 2　大正デモクラシーとロシア革命

日本における初期社会主義の「冬の時代」は、第一次世界大戦、つづくロシア革命、そして「大正デモクラシー」と呼ばれる雪解けの時代を迎えるまで続いた。「大正デモクラシー」のタームは、第二次大戦後になってから信夫清三郎『大正デモクラシー史』により提唱されたといわれている。第二次大戦後の「戦後民主主義」との対比もあったに違いない。普通選挙制度をもとめる「普選運動」の高まり、集会・結社・言論の自由の要求、男女平等や労働者の団結権、ストライキ権の要求など、「自由や民主主義」の思想や運動の盛り上がりを評価する狙いがあった。したがって、その時代区分など諸説に分かれ、早いのは一九〇五年（明三八）の桂内閣倒閣運動から、終わりは一九三一年（昭六）まで、かなり長い時期になる。ただ、大逆事件やその後の「冬の時代」の社会主義の弾圧からすれば、第一次大戦後の戦後民主主義の到来、一九一九年（大八）のパリ講和会議からとみるのが適当だろう。終わりは治安維持法の発動、一九二九年世界大恐慌、三一年の満州事変ころまでになると思う。

「冬の時代」を迎えて、すでに述べた通り堺利彦が「鳥瞰図」で整理した①穏和派（あるいは修正派）②マルクス派、そして③直接行動派の三派のうち、③の直接行動派は大逆事件により、幸徳秋水については冤罪とも言えるのだが、多くのメンバーが処刑されてしまった。残された大杉栄などが、思想活動として命脈を保ったが、大正デモクラシーの到来と共に、公然と活動を再開する。しかし、関東大震災の混乱の中で大杉が虐殺された事件については後述する。①と②も当然のことながら公然と活動を活性化させるわけだが、とくに①については、すでに触れた通り、この派を代表して活動の中心メンバーだった片山潜が、一九一四年（大三）渡米して日本から離れてしまっただけではなかった。世界で最初の「社会主義革命」と位置付けられた一九一七年（大六）のロシア革命により、ソ連共産党の幹部と共にコミンテルンなど、外部から日本共産党の結党や指導に走ることになってしまった。まさに「外来型」思想への転換だが、それがまた②のマルクス派、とくに堺利彦が日本共産党の創立に関与する複雑な事件も起こる。このように大正デモクラシーは、ロシア革命の勃発と重なり、日本の社会主義運動も複雑極まりない経緯を辿ることになった。そこで以下、目ぼしい点だけ拾ってみる。

まず、第一次世界大戦とロシア革命だが、第一次大戦（一九一四―一八年）については、それを一般的に「帝国主義戦争」として特徴づけている。欧米の帝国主義列強、それに最後進国のロシアや日本も加わった世界的規模の戦争だった。ただ、日本とロシアとの関係で言えば、第一次大戦に先だって日露戦争（一九〇四―五年）があった。日露が交戦し、日本「帝国」が「大国」ロシアに勝利した。ロシア帝国は小国の日本に負け、さらに引き続いて第一次大戦でも敗戦国となった。連戦連敗の痛手を受けたまま、ロシア革命を迎えた。逆に日本は、アメリカと共に、第一次大戦が「欧州大戦」とも呼ばれる通り、ヨーロッパを中心とした戦争だった、その埒外にいて漁夫の利を手にすることにもなった。敗戦のロシアの経済危機と対比すれば、日本は第一次大戦による戦争景気により、重化学工業化を進めることに成功した。日露の立場は、ここで明暗が完全に分かれ、日本は大戦後の好景気で「大正デモクラシー」の戦後民主主義による相対的安定期を迎えたのだ。

ロシア革命については、一九一七年の一〇月革命より遡って、一九〇五年の「ロシア第一革命」から説明されることが多い。その点でも、上記の日露戦争との連続性を考えなければならないが、例えば共産党とソビエト国家の体制についても、こんな説明もある。「ソビエトは会議という意味であり、日露戦争後の民主化により繊維工業の中心イワノボ・ボズネセンスク（現イワノボ）で最初に生まれた言葉である。一九一七年の二月革命によるロシア帝国の崩壊、一〇月革命の結果としてソビエト名の国家体制が生まれた」と説明されている。ソビエトという言葉そのものが、日露戦争と「ロシア革命」との連続性を示している。日露戦争の敗戦が、ロシア革命の引き金を引いたことにもなるだろう。事実、すでにロシアは、日露戦争の敗戦の時点から、革命的混乱に陥っていた。例えば、日露戦争で苦戦が続いていた一九〇五年には、ロシアの首都サンクトペテルブルグでは、生活に困窮した労働者の請願デモに軍隊が発砲し、多くの死傷者を出した「血の日曜日」事件が発生した。続いて全国の各都市で地域別のソビエト、上記のように「会議」という普通名詞だったのが、ここで「労兵協議会」として革命運動の拠点を意味することになり、労働者、兵士、農民の間に結成され、とくに水兵の反乱が続出した。こうした反乱を鎮静化するために、国会の開設、政党政治の活性化、憲法の制定など、いわゆる「ストルイピン改革」が行われた。しかし、こうした改革は、ストルイピンの暗殺、第一次世界大戦の勃発で中断、そのために反戦・平和の運動がますます激化することになった点に注目したい。

では、ロシアにおける社会主義の思想や運動は、どうだったのか？　ここで立ち入ることはできないが、すでに一八六一年に、農奴解放が行われていた。日本の明治維新より少し早いが、日本とともにロシアでは、資本主義の発展による近代化が遅れ、封建的な社会体制が色濃く残存していた。ロマノフ王朝の絶対専制主義（ツアーリズム）の支配が長く続き、そうした中でクロポトキンなどの無政府主義の過激思想や直接行動も起こっていた。またロシアの農村共同体（ミール共同体）を基盤とするナロードニキの運動を継承し、農民の支持を集めた「エスエル」（社会主義者・革命家党）が党勢を拡大した。こうしたロシア資本主義の後進性を踏まえた上で、すでにふれたが一八七〇年代の「晩期マルクス」は、「ザスーリチへの手紙」(注)に書いた通り村落共同体の存在を重視し、初期マルクス・エンゲルス以来の唯物史観や「所有法則の転変」を事実上修正し、その点でW・モリスやバックスのコミュニタリアニズムとの接点が形成されていた点を予め注意しておきたい。

（注）マルクスからの「返書」など度々言及したヴェーラ・ザスーリチ（一八四九～一九一九）だが、ロシア農村の小地主の家に生まれ、一八七六年ペテルブルグに出て、ナロードニキ運動に参加した。トレポフ将軍狙撃事件に関与、スイスに亡命し、そこでマルクス主義に転じた。「労働解放団」などを組織、マルクスの著作の翻訳・紹介を進め、上記マルクスからの返書も届いた。一九〇〇年、レーニンを含む六人で『イスクラ』を創刊、その編集局員として活躍した。しかし、一九〇三年ロンドンで開催の「ロシア社会民主労働党」第二回大会で、レーニンのボリシェヴィキとメンシェヴィキに分裂、ザスーリチはメンシェヴィキに属し、その後ロシアに帰国した。ロシア革命には反対だったようだが、革命への彼女の情熱は次第に冷めてしまい、一九一九年ペトログラードで死去したと伝えられる。

さて、一九一七年の一〇月革命に先行し、まず二月革命が起こった。ペトログラードはじめ各地のデモやストの鎮圧に軍隊が出動したが、鎮圧に向かった兵士たちが、次々に労働者や市民の側に寝返った。ただ、この時点ではメンシェヴィキの呼び掛けに応じて、首都では「ペトログラード・ソビエト」が結成された。他方、議会側も臨時委員会を作り、新政府の樹立、皇帝ニコライ二世は退位させられ、ロマノフ王朝はここで終わる。その結果、ペトログラード・ソビエトと臨時政府の「二重権力」が生まれた。ソビエト側が、臨時政府をブルジョア政府と看做して、それを支持したからだ。しかし、政権は二重権力で不安定となり、臨時政府は戦争の継続を、ソビエト側は反戦・平和を要求し、そのため「四月危機」を招来した。この時点でスターリンが流刑地から、レーニンも亡命地から帰国した。弾圧で弱体化していたボリシェヴィキがここで一挙に復権、レーニンの「四月テーゼ」が発表され、①臨時政府の不支持、②戦争継続の反対、③「全権力のソビエトへ」集中の方針が提起された。ケレンスキーを中心に臨時政府側は、戦線拡大を図ろうとしたが、反戦武装デモが拡大、「七月事件」などあったものの、ここでボリシェヴィキは「武装蜂起による権力の奪取」のクーデターの方針に大きく転換した。

この方針に異論や反対もあったが、ペトログラードやモスクワなどのソビエトが支持を拡大、レーニンはボリシェヴィキの方針として、武装蜂起による権力奪取をさらに明確にした。そして一〇月には、ソビエトに「軍事革命委員会」を設置、それを軍の各部隊が次々に支持した。臨時政府は、最後の反撃としてボリシェヴィキ党の機関紙印刷所を制圧したものの、それが引き金になり軍事革命委員会の武力総決起となった。この総決起で「ペトログラード労兵ソビエト」が権力を完全掌握、二六日未明の「冬宮」占領により一〇月革命は成功を収めた。しかし、こうした経緯については「この政治過程をみると、実体は革命というより首都での少数急進派武装部隊によるクーデター、ロシア語でいうポボロート（転換）に近かった。だが本書では、二〇世紀史に名を残す転換の契機となったという意味で革命といおう。そこには一六六七年に反乱を起こしたステンカ・ラージンや一七七〇年代半ばのプガチョフの農民反乱といったロシア史の古層も見え隠れした」（下斗米『図説ソ連の歴史』）という厳しい評価もあり、「革命」と呼ぶべきかどうか、大きな疑問が残されている。

以上がロシア革命の大筋だが、それを要約すれば①日露戦争からの帝国主義の対立抗争の中で、ロシア資本主義の権力が極度に脆弱化していたこと。②多様な社会主義の思想や運動が起こり、分派闘争が激しく、レーニンのボリシェヴィキも長く少数派だった。③革命による権力奪取も、敗戦の中で「労兵ソビエト」によるクーデターが「プロレタリア独裁」の内実だった。要するに「プロレタリア独裁」は、極めて特殊で限定的な条件の下で成功した「革命」に過ぎないこと、したがってそれを一般化し、教条化することはできない。すでに革命が成功の時点でも、武装蜂起に参加した社会革命党左派エスエルとの連立政権は、一七年一二月から翌一八年一月にかけて、憲法制定会議を巡り混乱した。選挙では、農民の支持を広く結集したエスエルが首位の第一党だったため、政府は憲法制定会議の解散を命じ、その後、会議は二度と開かれなかった。その点でも、「革命」の正統性が強く疑われることになった。

なお、一八年一月には大戦処理についても、講和に関し同盟諸国の協力が得られず、そのためボリシェヴィキ内部の対立が激化、講和条約の内容も厳しくなった。さらにシベリアに留め置かれた捕虜の問題で、アメリカや日本のシベリア出兵をゆるしたし、それに呼応して残存の旧軍隊の反革命行動が起こった。それに対しソビエト政府も新たにトロツキーによる「赤軍」を創設、反革命に対処せざるを得なくなった。そのためボリシェヴィキの「プロレタリア独裁」は、一党軍事独裁の色彩がますます強まり、ニコライ二世一家の銃殺など、内戦の終息には二〇年までかかり、日本のシベリアからの撤兵も二二年までかかった。このような多大の混乱と犠牲者の血を流した点でも、ロシア革命は極めて特殊な性格だったと言わざるを得ないと思う。しかし、それだけにとくに日本には大きな影響を与えることになったが、日本共産党の創設などとも関連して後述する。

## 3　ロシア革命とマルクス・レーニン主義

レーニンによるボルシェビズムの指導により、ロシア革命は辛くも成功した。しかし、その経緯を大筋で辿っても「武装蜂起による権力の奪取」であり、それゆえ「少数急進派によるクーデター」にすぎなかった、という厳しい評価も出てくる。革命時点では、単なる軍事クーデターに過ぎなかった権力奪取が、レーニンの天才的指導があったものの、第二次世界大戦を挟んで「ソ連型社会主義」が七〇年以上も長期化したのは何故だったのか？　ここで立ち入ることはできないが、戦前・戦後が第二次大戦の「熱戦」、戦後も「戦後民主主義」を迎えたとはいえ、「冷戦」といわれる「戦時」体制が持続したことによるのではないか？レーニンのボルシェビズムが「熱戦」「冷戦」の新たな軍事体制に事態即応したものだったからであろう。だからこそ、ポスト冷戦を迎えるとともに、呆気ないほどの短期間に、まさに瞬時にしてソ連体制は崩壊したのである。七〇年以上も異常な状態が続いた点では、確かにロシア革命は「二〇世紀史に名を残す転換の契機になった意味で革命だが」、それだけにレーニンによるボルシェビズムについて批判的検討が必要だろう。とくに上述の七〇年代「晩期マルクス」の「所有法則の転変」からの脱却との関連に焦点を当てて検討したい。

レーニンのボルシェビズムを代表してきた理論的著作として、先ず『国家と革命』をあげるのが適当だろう。レーニン『国家と革命』こそ、長期化したソ連体制の中で「マルクス・レーニン主義」の古典としての地位を獲得し、まさに「聖典」ともいえる権威を与えられてきた。しかし、果たしてソ連がすでに崩壊し、ロシア革命の虚構が失われた今日、「マルクス・レーニン主義」もまた、すでに権威喪失の虚名だけに終わったのではないか？　とくに七〇年代「晩期マルクス」のコミュニタリアニズムとの対比において、批判的に検討する必要があろう。とくに『国家と革命』は、一九一七年二月革命の後、ボルシェビキ弾圧から逃れるために、八月から九月にかけて執筆され、ペトログラード郊外のラーズリフ湖畔に潜伏中に書かれたといわれる。(注)それだけに「武装蜂起による権力奪取」の政治的・軍事的意図が生々しく表現されたのであろうが、多分に感情的な表現も目立つ。

（注）『国家と革命』については、ここでは以下、大筋を紹介して検討するだけにとどめるが、より詳しくは別稿を準備した。なお、『国家と革命』では、一八七一年パリ・コンミュンとともに、「一八四八―一八五一年の経験」として、「共産党宣言」にも触れている。内容的に重複する部分も多いが、前掲の拙稿「コミュニズムからコミュニタリアニズムへ―脱マルクス・エンゲルス『共産党宣言』」（ロゴス・ブックレットNo.15所収）を参照されたい。

レーニン『国家と革命』は、革命戦略的意図が強い点からも、すでに「序文」において「帝国主義戦争は、まさに、この種の獲物の分配と再分配のための戦争である。一般的にはブルジョアジーの影響から、特殊的には帝国主義的ブルジョアジーの影響から、勤労大衆を解放するための闘争は、〈国家〉に関する日和見主義的偏見にたいして闘争すること」が強調され、その点から「マルクス及びエンゲルスの国家学説を考察し、この学説の忘れられた側面もしくは日和見主義的に歪曲された側面を、とくに詳細に論じる」と述べている。ここではマルクス、エンゲルス二人の名前が出てくるものの、レーニンの意図はエンゲルスの「プロレタリア独裁」論の提起が主眼であり、そのためにマルクスの所説が利用されたり、補強の材料にされたりしているに過ぎない。その点では、「マルクス・レーニン主義」というよりは、むしろ「エンゲルス・レーニン主義」であり、その国家学説と呼ぶのが適当であろう。後述するが「晩期マルクス」の視点、とくにメンシェヴィキのザスーリチへのマルクスの返書の視点などは、ここでは完全に無視され、むしろ排除されているように思う。

本論、第一章「階級社会と国家」の「一、階級対立の非和解性の産物としての国家」では、初期マルクス・エンゲルスの唯物史観に基づく「ブルジョアジーとプロレタリア」の階級対立、その対立による階級支配の道具としての国家が提起される。ここでエンゲルスの『家族・私有財産および国家の起源』（以下『起原』と略記）が前面に出てくるが、階級関係の非和解性とともに暴力的支配が強調される。（注）「二、武装した人間の特殊部隊、監獄その他」ここでもエンゲルスによりながら、「常備軍と警察とは、国家権力の暴力的行使の主要な道具であり」それ以外ではありえない。さらに「三、被抑圧階級を搾取する道具としての国家」は、ブルジョア国家の「公的暴力」の道具としての「租税と国債」などが論じられる。ここでも『起原』が利用され、一八七一年のパリ・コンミュンの事例も引用されるが、エンゲルスの「直接的な官吏買収」や「政府と取引所の同盟」、そして国家独占体の「帝国主義と銀行の支配」が指摘され、さらに普通選挙権の拡大も、国家の階級支配の道具の拡大に過ぎない。「四、国家の〈死滅〉と暴力革命」では、プロレタリアによる国家権力の奪取は、それによる権力的支配ではない。ブルジョア権力の支配を停止し、「プロレタリアートは、プロレタリアートとしての自分自身を揚棄し、それによってあらゆる階級区別と階級対立を揚棄し、それによって国家としての国家をも揚棄する」（『反デューリング論』）として、ここでもエンゲルスの著作が長々と引用される。さらに国家の揚棄について、パリ・コンミュンの経験などを交えて五点ほど補強するが、要するにエンゲルスの「プロレタリア独裁」のテーゼを、ボリシェヴィキの「武力による権力奪取」に適合させているのであり、マルクスの扱いは極めて消極的である。正しく「マルクス・レーニン」ではなく「エンゲルス・レーニン主義」の教条化がレーニン『国家と革命』とみるべきであろう。

（注）『起原』の結論的な叙述を挙げて置く。「国家は階級対立を制御する必要から生じたものであるから、しかしそれは同時にこれらの階級の抗争のただなかで生じたものであるから、それは通例、もっとも有力な、経済的に支配する階級の国家である。そしてこの階級は、国家をつうじて、政治的にも支配する階級となり、こうして、被抑圧階級を抑制し搾取するための新しい手段を獲得する。こうして、古代国家は、何よりもまず奴隷を抑制するための奴隷所有者の国家であったし、同様に封建国家は、農奴・隷農的農民を抑制するための貴族の機関であったし、近代的代議制国家は、資本による賃労働の搾取の道具である。」国家は、階級支配の道具論であり、単純な階級闘争史観に過ぎない。

つぎに「第二章　国家と革命。一八四八―一八五一年の経験」「第三章　国家と革命。一八七一年のパリ・

コンミュンの経験。マルクスの分析」については、初期マルクス・エンゲルスの唯物史観に基づく政治・綱領的文書『共産党宣言』、マルクス『フランスの内乱』との関連が重視される。しかし、ここでもエンゲルスの「プロレタリア独裁」の基礎付けが、さらに進められている。したがって、マルクスによる純粋資本主義の抽象による資本主義経済の自律的運動法則など、「後期マルクス」の『資本論』や七〇年代「晩期マルクス」の新たな視点による問題提起は、ほとんど見られない。その点でも「エンゲルス・レーニン主義」の色彩が強く、軍事的権力奪取の意義が強調される。ここでは具体的内容に立ち入らないが、とくにマルクスとの関連で気になる点を挙げると、例えばパリ・コンミュンとの関連で、都市共同体のコミュンの性格からいって、マルクスは『フランスの内乱』の中で「協同組合」の役割を具体的に提起していた点が重要だろう。

「コンミュンは、あらゆる文明の基礎である財産（所有）を廃止しようとしている、と！　いかにも諸君、コンミュンは多数の人間の労働を少数の人間の富と化する、あの階級的所有を廃止しょうとした。それは収奪者の収奪を目標とした。それは、主に労働を奴隷化し搾取する手段となっている生産手段、すなわち土地と資本を、自由な協同労働の純然たる道具に変えることによって、個人的所有を事実にしょうと望んだ。――――もし協同組合的生産が詐欺や罠にとどまるべきでないとすれば、もしそれが資本主義制度にとって代わるべきものとすれば、もし協同組合の連合体が一つの共同計画にもとづいて全国の生産を調整し、こうしてそれを自分の統制のもとにおき、資本主義的生産の宿命である不断の無政府状態と周期的痙攣とを終わらせるべきものとすれば―諸君、それこそは共産主義、〈可能な〉共産主義でなくてなんであろうか！」ここでは所有論的に「共産主義」と表現されているが、しかしコンミュンとの関連では、協同組合の役割が重視され、コミュニタリアニズムの視点が明確に提起されている。

さらに『共産党宣言』との関連だが、すでに述べて通り初期マルクス・エンゲルスによる政治綱領的文書であり、所有論的アプローチ（所有論的視角からの社会主義像）が強い。また、後の『資本論』などからすれば、単なるイデオロギー的作業仮設「導きの糸」に過ぎない。資本主義の階級関係も「資本・賃労働」ではなく、所有論的に「有産者ブルジョアジー」対「無産者プロレタリア」の対立であり、世界市場の無政府的競争による過剰生産恐慌、恐慌・革命テーゼ、階級支配としてのブルジョア国家、そして国家による階級支配の廃絶などのテーゼが、唯物史観の枠組みとして提起された。しかし、一九世紀イギリス資本主義の発展・確立、それを対象としたマルクス『資本論』研究の深化により、唯物史観のイデオロギー的仮設は止揚されなければならない。作業仮設の宿命だろう。七〇年代「晩期マルクス」自身は、その宿命的作業の必要性に気づいていたのだ。

なお、『宣言』「一八七二年ドイツ語版への序文」では、「プロレタリア階級が初めて二ヵ月のあいだ政権を握ったパリ・コンミュンの実践的諸経験を考えれば、この綱領は今日ではところどころ時代おくれになっている。」さらに「一八九〇年ドイツ語版への序文」では「『宣言』についても色々なことが起こった。――第二のロシア語訳―ヴェーラ・ザスーリチによる―は一八八二年ジュネヴァで出版された」と書き、最後にこう述べている。「ひどく分解してはいるが、太古からの土地所有の一形態（原生的共有の形態）であるロシアの農民共同体は、共産主義的共有のより高い形態に直接に移行しうるであろうか？　それとも反対に、その前にそれは西ヨーロッパの歴史的発展において行われたと同じ崩壊過程を通過しなければならないであろうか？　この問題に対して今日可能な唯一の回答は、次のごとくである。もしロシア革命が西ヨーロッパにおけるプロレタリア革命への合図となり、その結果両者がたがいに補いあうならば、現在の土地共有制は、共産主義的発展の出発点として役立つことができる。」

この一八九〇年ドイツ語版への序文の邦訳（岩波文庫訳）では、「この失われたドイツ語原文は、後に発見されて、マルクス・エンゲルス・レーニン研究所に保管されている」との注記があり、さらに「ロンドン、一八八二年一月二一日」の執筆とされている。だとすればマルクスの最晩年であり、ザスーリチからの質問の手紙が一八八一年二月一六日付、その返書が三月八日付であり、それから約一年たっている。返書と同じ論旨だが、その内容はより明確であり、とくに「太古からの」共同体の位置づけが一段と明確になっている。マルクスは死期の近づく中で、「所有法則の転変」の修正の意思をますます固め、コミュニズムからコミュニタリアニズムへの脱皮の見地を強めていたと思われる。その意味では、マルクスとモリス・バックスとの距離が縮まり、両者の関連がさらに深まったといえるが、ロシア革命を迎えて堺利彦など日本の労農派社会主義は、どのような対応だったのか？　次にそれを見ることにしよう。

# 第４章

# マルクス・レーニン主義と労農派社会主義

## 1 ロシア革命と労農派の立場

一九九一年、第二次大戦の「熱戦」、さらに戦後体制の「冷戦」へと戦時体制が続き、七〇年にも及ぶソ連型社会主義が、まことに呆気なく崩壊してしまった。最後になった日本人の訪問に向って、「全ソ労評」の国際部長が「人間にとって幸せな社会を、イデオロギーだけで人々に押し付けてはだめである。それが七〇年間のソ連体制の失敗の教訓だ」と短く述べたことが強く印象に残っている。(注) ソ連邦崩壊による社会主義の「祖国喪失」によって、とくに日本では「社会主義」のタームそのものが「死語」と化してしまった。国際的には、とくに西欧諸国では考えられない現象だろう。なぜなら、西欧では「社会主義」が、「社会民主主義」と同義であり、W・モリスなどを含めて社会主義者 Socialist として広く紹介されている。その社会主義＝社会民主主義と区別して、西欧ではソ連型社会主義はボリシェヴィズム、ないしコミュニズムと呼んでいた。それゆえソ連崩壊は、ボリシェヴィズム、コミュニズムの崩壊と喪失ではあっても、「社会主義」は残っている。コミュニタリアニズムなど、新たな発展が目指されているのだ。

(注) 拙著『世界と日本：新しい読み方』一九九一年講談社刊、第Ⅳ章を参照されたい。本書は、一九九一年ソ連崩壊の直前のソ連、東欧などを訪問して経験したことを中心に書いたものである。

ソ連崩壊に対する日本の異常な思想状況は、ある意味ではロシア革命によるソ連誕生への反応の裏返しの面かも知れない。すでに述べたが、ロシア帝国の崩壊は、日露戦争の敗北に続く第一次大戦の敗北の結果の面が強い。日露戦争が無ければ、ロシアが負けなければ、ロシア革命は起こらなかったかも知れない。さらにユーラシア大陸に続く隣国として、地政学的にも多様な関係があり、ロシア革命は隣国に「社会主義」が誕生したのだ。しかも、内戦が拡大し、日本もアメリカと共に「シベリア出兵」に乗り出す。その意味では、日本もロシア革命に干渉し、直接関与した。さらに、この時点ではシベリアの地に、新しく「極東共和国」の登場をみたのも重要だろう。(注) 沿海州からアムール州、ザバイカル州まで、一九二〇年から二年半ほどの短期間の登場に過ぎなかったものの、憲法を制定した新「共和国」が誕生し、地図が塗り替わる可能性もあった。さらに革命という点では、中国では一九一一年の辛亥革命が勃発し、アジア大陸も激動の時代を迎えることになった。日本国内は、一方で第一次大戦による戦争ブームに涌いたが、しかし他方、ロシア革命に連動するかのような「米騒動」が勃発した。一九一八年八月、米価の高騰に対する富山県下の一漁村の主婦たちの蜂起で、一道三府三二県に騒動が拡大、参加者は七〇万人に及んだ。さらに小作争議や労働争議も発生したけれども、それらがロシア革命の影響なしとは言えない。

(注)「極東共和国」についても、上掲『世界と日本：新しい読み方』第Ⅵ章を参照のこと。

こうしたロシア革命を中心とする国際環境の激変の中で、「大正デモクラシー」による日本の思想状況も大きく転換した。社会主義の思想として、ソ連では官許の思想となった「マルクス・レーニン主義」が急激、急速に流入し、ブームとなって歓迎された。「その当時の社会主義的な思想をもった者で、影響を受けなかった人はいない」(『山川均自伝』)といわれている。ドイツ語のためもあり、遅れていたマルクス『資本論』も、安部磯雄に続き、松浦要、生田長江、そして高畠素之訳が『マルクス全集』一~九巻として刊行、日本語訳の決定版となった。マルクス、エンゲルスの著作が次々に翻訳され、昭和初年には『マル・エン全集』が世界に先駆けて出版された。レーニンの著作も、先述の『国家と革命』をはじめ『帝国主義論』など、次々に翻訳された。このように社会主義の思想が、ロシア革命の成功を背景に、「マルクス・エンゲルス」というより「マルクス・レーニン主義」として、しだいに教条化されドグマ化されてくる。こうした中で、W・モリスなどの社会主義の位置は、どうなったか?

上記の通りモリス・バックスの『社会主義』が、幸徳秋水の『社会主義神髄』の中でマルクス・エンゲルスの古典と共に推奨されたが、さらに堺利彦が日本で初めてモリスの『ユートピア便り』の抄訳を、一九〇三年(明三六)に『理想郷』のタイトルで「平民新聞」に連載した。翌年、「平民文庫五銭本」の一冊として出版した。初版二〇〇〇部で好評だったし、例えば東北の盛岡の書店の店頭にも並んでいた。おそらく宮沢賢治の手にも渡っていただろう。さらに堺の同志・山川が、『社会主義』の中の「資本論解説」の部分を「マルクスの資本論」として一九〇七年に「大阪平民新聞」に連載したことは、すでに紹介した。マルクス主義も、その後の「マルクス・レーニン主義」ではなく、ここでは「マルクス・モリス(バックス)

主義」として堺・山川の手で受容・継承されていたのだ。さらにモリス『ユートピア便り』との関連で注目すべきは、モリスが一方で米のベラミーの「国家社会主義」、他方で英「社会主義者同盟」の中のアナーキストと対立して、いわば中道の「正統的マルクス主義」の立場を守り続けようとした点とも関連する。

堺は、自ら発足させた「売文社」や優れた語学力により、山川と協力しマルクス・エンゲルス、さらにレーニンの著作まで紹介・翻訳していた。堺の思想的な幅の広さが、彼の翻訳活動にも伺われる。しかし、彼の思想的立ち位置は、少しのブレも動揺もない。彼はロシア革命の後、一九二〇年（大九）にモリスの抄訳『理想郷』を再版した。再版は、「平民文庫」のパンフではなく、ベラミーの『百年後の新世界』を含めた合本であり、本の表紙は『理想郷』（NEWS FROM NOWHERE）であり、いわば付録のような形でベラミーの抄訳も載せてある。その「はしがき」に興味深く、かつ無視できない重要な堺の説明があるので紹介する。「ベラミーの理想は前記の通り国有主義で、その余りに集中的な、画一的な、強制的な考え方に反対する者が少なくなかった。そこで社会主義者の中でも、寧ろアナキスチックの傾向を帯びたモリスは、少しそれに当てつける位の気持ちで、極めて自由な生活状態を描出したものらしく思われる。故にこの二書に内容を比べて見ると、同じく社会主義の理想と云われながら、実は大変に違った二つの光景を現出している。そして今日になって見ると、ベラミーは最早殆ど顧みられず、モリスはいつまでも多くの人に愛読されている。けれども我々としては、モリスを読んだ後に参考として、対照として、ベラミーを読む事も亦た決して無益ではない。」

レーニンの「プロレタリア独裁」によるソ連・国家社会主義に対して、堺は改めてモリス『理想郷』を公刊、自らの思想的立ち位置を確かめて置こうとしたのではないか？ 「この抄訳は二つとも、私が余ほど以前に小冊子として発行したもので、近来は全く絶版になっていたのだが、この頃の陽気に促されて、少しづつ訂正を加え、さらに合冊として、発行する事にした。『理想郷』では、危険な箇所を大ぶん多く削除した」と、堺らしい皮肉を込めながら、「この頃の陽気に促されて」ロシア革命や社会主義ブームに対する堺の変わらぬ姿勢が述べられている。こうしたモリスや堺にとっても、大正デモクラシーの社会主義ブームは、ある程度は追い風だったのであり、モリスの『ユートピア便り』は『無何有郷だより』など題名を変えて、また彼の講演集なども翻訳出版された。第二次大戦後は「近代デザインの父」などとして、モリスの名はもっぱら工芸美術方面で高く評価されている。しかし、当時のモリスは、社会思想方面の文献が「断然一群を抜き、工芸美術方面が最も振るわない結果」（『モリス記念論集』一九三四年）と紹介されている。

こうしたモリス、そして堺利彦のところに、こともあろうに日本共産党の設立の話が舞い込んだのである。その事情は複雑怪奇であり、地下活動でもあったことで、真相が明らかではない部分も多い。そこで以下、もっぱら『山川均自伝』を手がかりに整理するだけにとどめたい。ただ、この『自伝』は、むろん個人の手記であり、歴史的な記述としては限界がある。しかし、山川均らしく比較的客観的に書かれているし、とくに堺については随所に触れられている。日本共産党の創立をめぐる紆余曲折の話だけでなく、労農派の成立事情を知る上では、最も適当な文献であろう。（注） 但し、自伝の性格で出生の頃から書かれているが、ここでは第三部「小さき旗上げ」からの部分に限定する。

（注）関連した文献は多数あるが、さしあたり『荒畑寒村著作集』平凡社刊、一九七六―七年などを参照されたい。

## 2 日本共産党の結党・解党、そして再建

ロシア革命の影響について山川均は、「社会主義的思想を持っていた者で、影響を受けない者はいない」と述べたが、さらにそれまでのセクト的対立を越え「皆涙を流して喜びました」と書いている。しかし、それは当初だけの話で、すでに紹介したロシア革命の実相が伝わるにつれて、しだいに以前からの思想的な分派抗争が再燃することになった。一九二〇年代を迎えると、ロシア革命の評価や労働運動の組織論を巡り意見が対立、先ずアナ・ボル論争が始まる。アナルコ・サンディカリズムとボリシェビズムの対立であり、とくに労働運動の組織論を巡り、政党の指導を排除して自由な連合を目指すアナ派、プロレタリア独裁の中央集権的組織を主張するボル派の対立である。ロシア革命の成功、マルクス・レーニン主義の教条化、コミンテルンのアナキズム批判とともに、ボル派が勢力を拡大した。とくに、すでに触れた事件だが、アナ派の新しい指導者となった大杉栄が、一九二三年（大一二）関東大震災の混乱の中で憲兵大尉・甘粕正彦に虐殺された、とされる「甘粕事件」が発生、アナ派は急速に衰退してしまった。

さらにマルクス・レーニン主義には、初期マルクス・エンゲルスの唯物史観に基づく世界市場の「恐慌・革命テーゼ」にもとづく「世界同時革命」のイデオロギー的期待が大きかった。ロシア革命の成功により、同じ敗戦国のドイツでは、確かに革命情勢の高まりは見せたものの、レーニンなどの期待には繋がらなかった。そのためもあったと思うが、コミンテルンの指導を強化し、ソ連中心のマルクス・レーニン主義の教

条的な支配を強めようとした。具体的には、ボリシェビズムによる世界各国の共産党の組織化の方針が打ち出され、その方針で日本でも一九二二年（大一一）に非合法で共産党が創立、委員長に堺利彦が就任するという、異例な事態が発生した。ここに日本で最初のプロレタリア前衛党の登場を見ることになった。この異例な人事は、なぜ起こったのか？

大筋の経過からいえば、日本共産党の創立は、初め非合法で創立したものの、創立に参加協力していた山川均が、その直後に「無産階級運動の方向転換」という有名な論文を、当時の『前衛』誌に発表した。この論稿は、直接はアナルコ・サンディカリズム批判であり、社会主義の思想と運動を広く一般大衆に浸透させる意図で書かれた。しかし、非合法の地下活動を進めるコミンテルンなど、内外に大きな波紋を呼ぶことになり、関東大震災の混乱もあって、早くも一九二四年（大一三）には日本共産党は解党してしまった。さらに山川・堺が反対したにも拘らず、コミンテルンの指導だろうが、一九二六年（大一五）に共産党は再建されたのである。(注)こうした紆余曲折の過程は、ロシア革命およびマルクス・レーニン主義をめぐる重要な対立・論争による混乱だろうが、山川は以下のように述べている。

（注）複雑な経緯があったのであろうが、堺や山川が日本共産党の創立に「参加協力」したこと自体、誤りだったのではなかろうか？　ロシア革命とマルクス・レーニン主義、さらにコミンテルンについて、十分な情報も把握できていないままに「参加協力」し、結果的に混乱に巻き込まれたのであろう。

共産党の設立は、上記の通り一九二二年（大一一）七月一五日とされているが、九月という説もある。

中心メンバーは堺、山川、それに荒畑寒村、野坂参三、徳田球一、佐野学、鍋山貞親なども加わり「マルクシズムとそれからそのほかの社会主義思想が共同戦線を張っていたかっこう」と述べている。とくに堺利彦が最初の委員長になったのは、堺が社会主義運動の先達だった理由だけではない。人脈などから運動を広く結集する意図も伺われる。しかし、逆に言えばプロレタリア独裁のマルクス・レーニン主義の教条からすれば、初めから空中分解の危険性を孕んだスタートだったといえる。また、日本だけでなく各国の共産党は、コミンテルンの強い指導があった。日本に対しては、日本を捨ててモスクワでコミンテルンの幹部になった片山潜が指導したと言われている。片山は「正統的マルクシズム」の堺の委員長就任に賛成しなかった、とも伝えられているが、コミンテルンは「君主制廃止」「大土地所有の没収と小作地の耕作者への引き渡し」など、厳しい内容の「日本共産党綱領草案」を提示してきた。最初から非合法活動にならざるを得ない。また、社会主義の祖国・ソ連の防衛のため、外国への一切の干渉の中止、さらに朝鮮、中国、台湾、樺太などからの日本軍の完全撤退を一方的に要求してきた。

こうしたコミンテルンの厳しい指令と共に、国内的には一九二三年（大一二）に治安維持法が制定され、共産党への弾圧が開始された。また、関東大震災による上記の大杉栄の虐殺など白色テロも続き、しだいに運動が困難になってきた。そうした事情があって、堺や山川は共産党の解党を提起し、翌二四年（大一三）二月に日本共産党は1年半で解党を決定した。しかし、当然のことだがコミンテルンは解党に反対し、その再建の指導に乗り出した。解党の際の委員会（ビューロー）を、上記の通り二五年（大一四）八月に再建のための中央ビューローに再組織し、徳田球一、市川正一が中心になり、地下で再建が準備された。そして、一九二六年（昭元）一二月に山形県五色温泉で第三回大会の形式をとり、日本共産党は再建されたのである。

しかし、こうした日本共産党の結党・解党、そして再建の過程をみれば、コミンテルンの外部からの指導、とくに日本の社会主義運動からすれば、文字通り日本を見捨ててアメリカに行き、さらにソ連に渡ってしまった片山潜の指令の下に、非常に無理な形で共産党の設立が進められたことになる。ソ連型マルクス・レーニン主義の教条的支配が、まさしく「外来社会主義」として運動面でも異常な混乱を招いたことにもなるだろう。それだけに堺や山川が、明治以来の「土着社会主義」「正統的マルクシズム」の立場から、この時点で「労農派」を組織し、無産政党の結集に乗り出さざるを得なかった事情に注目せざるを得ない。日本における労農派は、ここで始めて思想集団として登場するのだが、関連して補足的に山川の『自伝』をもう少し追ってみたい。

大正デモクラシーとロシア革命を背景に、日本でも労働運動が本格化、社会主義運動が新たな段階を迎えた転換点として、山川は一九二一年（大一〇）の「日本社会主義同盟」の結成を取り上げる。一部のインテリ層を中心とした思想運動から、社会主義の思想が一般化し、政治運動と共に大衆化する転換期を迎え、「社会主義同盟で初めて日本では古い社会主義者と戦後の社会思潮の影響でもって新しく生まれた社会主義的な要素、組織労働者とが手をつないだわけです。その意味でこれは非常に大きな意義があった。」とくに労働運動の「総同盟」の参加が大きかったが、この大同団結の組織化の最後の詰めで「いよいよ大正十年になって発会式をやったのですが、同時に解散命令がきて大乱闘になり、多数の犠牲者が出ました。」

こうした「社会主義同盟」の挫折などが、運動の組織化や大同団結を困難にし、非合法の地下活動へ追いつめられる。「これがやがて共産党への道につながるのです。ですから当時は厳密に共産主義の理論の上に立っていようがいまいが、実践運動のための団体をつくれば秘密結社とならざるを得ない。それが共産党の樹立を促すことにもなったのです。」加えて、コミンテルンからの指令もあり、上述の通り日本でも共産党の創立がひそかに進んだ。「コミンテルンの代表が、極東に派遣されてきているというウワサはあったが、われわれにはどうもはっきりしなかった。大正九年の末ごろか、大杉（栄）が上海に行ってから上海に代表者がきていることはわかったが」「正式な申し入れを受けたことは一度もなかったのです。」その後、大正一〇年になると「コミンテルンの主催でシベリアのイルクーツクで極東民族大会を開く、日本からもぜひ代表者を参加させてくれという話」があったが、大会は延期され結局モスクワで開催、「これで初めて日本の運動関係者がモスクワと接触したわけです。その人たちが十一年の春に帰ってきた。ところが帰ってきた人たちが、片山（潜）氏から日本に共産党をつくれという、正式な指令というべきものかどうか知りませんが、そういう話も受けて帰ってきたのです」しかも「堺さんを除外して共産党をつくれという指令を片山潜から受けてきたというのです。[注]」「そのままずるずるべったり共産党ができてしまいました。――あまりに無計画に、急ごしらえの粗製乱造的にできあがったと思う。それで、さっき話した新しくできた札付き社会主義者の固まりが、そのまま共産党と名を変えたという結果になった。」理性的な山川の表現としてはいささか感情的だが、共産党の再建が「ずるずるべったり」だった点は否定できないだろう。

（注）片山潜と堺利彦との間には、「鳥瞰図」に見られた路線上の対立もあったが、二人の関係には、ともに相容れない人間関係があったように推測される。それだけに日本共産党の創立時の堺の「参加協力」には疑問が残る。なお、片山潜は「鳥瞰図」の路線では、「穏和派（あるいは改造派）」とされるが、ロシア革命の「プロレタリア独裁」も、社会民主主義による改革も、権力を奪取するか、参加介入か、の相違はあるものの、「上からの変革」としては同じであり、片山も国家社会主義のソ連に容易にシフトしたのであろう。

## 3　労農派の結成

山川『自伝』では、「共産党再建の相談を受ける」の見出しで、コミンテルンの「上海テーゼ」を堺、荒畑が持って、山川に相談に来た。党再建の方針だが、過去の解党を批判し「今度は党の存在は公然と宣明し、ただ党の所在を秘密にする方針」、このテーゼは決定されているので協力して欲しい、という依頼だった。山川は「しばらく考えた末、僕は協力できないと答えました」山川は自らの「方向転換論」の立場からも党再建に賛成できない。「すると荒畑君は堺さんに、あなたはどうですと聞くと、堺さんは、僕も山川君と同意見だと答えました。」堺と山川の二人が、ここでもマルクス・モリスを引き継ぐ「正統的マルクシズム」の立場を、相互に確認し信頼を確かめ合う緊張の瞬間だった。

山川の「方向転換論」だが、多くの反響や影響を与えた論文だった。すでに述べたが共産党の解散とは関係ない、アナルコ・サンディカリズム批判だった。しかし、山川も「後から考えると当然、党内に異論があるべきはずだった。というのは、あの中には三年後に私が共産党と別れた理由が含まれているからです。ところが私自身も、その時は、党を作ったということと、あの考え方との矛盾を、それほどはっきりと意識していなかったし、党も、党というよりも他の党員たちも、その点は考えないで、別段矛盾を感じないでついてきたのではないでしょうか」と述べている。つまり、方向転換論の「正統的マルクス主義」と、ロシア革命のマルクス・レーニン主義の矛盾に十分気づくことなく、堺も山川も創立に手を貸し、解党に走り、その上で再建に反対せざるを得なくなった責任は残るだろう。（注）国家社会主義のロシア革命の現実、マルクス・レーニン主義の教条的支配から自立して、マルクス・モリスの「正統的マルクス主義」の立場から、コミンテルンの「外圧輸入型」ではない、まさしく「土着日本型」社会主義の道を切り開かざるを得ない、それが他ならぬ労農派の結集だったが、『自伝』はここで二点を挙げている。

（注）すでに指摘したが、コミンテルンによる日本共産党の結党に際し、堺・山川の二人が参加・協力し、堺が委員長を引き受けたこと自体、大変な誤りだったことになる。山川は、その責任をここで認めている。

一つは労農派社会主義の誕生は、ロシア革命のマルクス・レーニン主義、そのコミンテルン支配に対抗するものだった。ただ、当初の共産党の態度は、山川の「方向転換論」を正面から批判することなく、むしろ「共同戦線党」の表現さえ使い対応していた。ところが、一九二五年（大一四）に新たに「労働農民党」ができると、党内や労組の組織の左右の対立を利用して、いわゆる「加入戦術」で「労働党の書記局は完全に共産党系の人たちが握ってしまい、労農党がほとんど共産党の外郭団体みたいなものになってしまったのです。この頃から無産政党に対する共産党の考え方がいつの間にか変わってきた。」この「加入戦術」（注）は、snaking とも呼ばれ、蛇のように狡猾で「寝首を掻く」ことを表現して忌み嫌われている。

（注）加入戦術は、必ずしも共産党だけではなく、いわゆる新左翼の党派にもみられた戦術である。

さらに「共産党のこういう変わり方は、福本説（福本イズム）が党を完全に支配するようになるのと並行して起きたのです。それで政党の方面では今言ったように、労働者農民の政治戦線を統一した単一な政党ではなしに、共産党が完全に支配する左翼政党を作るということですが、労働組合運動のほうも同じことで、共産党の完全支配による赤色労働組合インターナショナル（プロフィンテルン）系の労働組合をつくって、その他の組合運動とは鋭く対立するということになりました。それで日本労働組合評議会（略称、評議会）は共産党まがいの半政党的な性質のものになったのです。工場では争議を激発する、――争議は革命精神の高揚、革命の予行演習になるように指導しなければならない。――政治戦線と労働組合戦線におけるそういう実状、それが労農派誕生の背景です。」

この福本イズムは、一九二五年（大一四）雑誌「マルクス主義」に山川批判として「方向転換はいかなる諸過程をとるか、我々はいまそれのいかなる諸過程を過程しつつあるか」という長々しいタイトルで、福本和夫が共同戦線の統一、大同団結の前に党組織論として「分離」を強調する、「一旦自らを強く結晶するために〈結合する前に、きれいに分離しなければならない〉〈単なる意見の相違〉と見えたところのものを〈組織の問題〉にまで、従って単に〈精神的に闘争する〉に止まりしものを〈政治的、戦術的闘争〉にまで開展しなければならない」と主張した。この福本イズムは、共産党の再建大会では方針として確認されたが、その後一九二七年（昭二）には極端な分裂主義としてコミュンテルンからは批判されている。

このような政治的、運動的混乱が深まる中で、労農派のスタートが切られた。直接は福本イズムからの山川批判があり、その反批判の形で出発したことになる。その場合も、共産党の党内闘争に巻き込まれることを極力回避する意味で、初めは「政治研究会」、その雑誌『大衆』、その同人を引き継ぐ形で一九二六年（昭元）雑誌『労農』の創刊により『労農派』はスタートした。この時点までは、すでにみてきた通り「土着社会主義」と言われ、「正統的マルクス派」と自称してきた堺利彦、山川均などのグループは、政党ではないし派閥でもない。「平民新聞」などを拠り所としてはいたものの、単なる思想的グループだった。『労農』もまた政治的色彩が強いものの同人誌であり、同人には英・モリスの「アーツ&クラフツ」に似て、幅広く例えば「労農芸術家連盟」のメンバーも加わった。山川も「ですから『労農』には、共産党と対立した見解に立つマルクス主義者が集まったわけですが、さりとて精密な理論上の意見の調整をして集まったわけではなく、――かなり重要な点で意見の違った人もあると思っていましたが、当面の一番大きな問題は無産政党の問題、それから組合運動のあり方の問題で、こういう具体的な問題では意見が一致していたわけです。」

以上のような山川の方向転換論による共同戦線党に対する福本イズムの批判、この山川・福本論争からすれば、再建された共産党VS労農派の対立は、もっぱら組織論や運動論のレベルで展開されたように見える。また、コミンテルンの福本批判もあり、両者の対立の経過からすれば、思想的・イデオロギー的な深刻な対立には見えなかった。しかし、ロシア革命の経緯がさらに明らかになり、コミンテルンの国際的な指導による「日本革命に関するテーゼ」も明らかになって、労農派VS講座派による「日本資本主義論争」も派手に展開された。一九三二年（昭七）頃から戦後まで持ち越された学界を巻き込んでの論争は、マルクス・レーニン主義の公式化・教条化によるマルクス主義を中心とする社会主義思想の受容と継承に深く根差した思想的対立に発展するのである。

## 4 「共産党」と「労農派」の対立、その透視図

以上、「平民新聞」から「労農派」結成への社会主義運動の流れを整理したが、日本に特有な土着社会主義は、堺・山川の二人に担われてきた。山川も『自伝』の中で、何度も「正統的マルクシズム」を繰り返し、堺と共に自らの思想的立ち位置を確認するために、社会主義の思想の流れをチェックしていた。それは堺が「大杉君と私」で試みた社会主義の「鳥瞰図」とほぼ同じだし「堺さんは第二インターナショナルの中にも三つの流れがある。一方には無政府主義があり、その反対の極には改良派ないし修正派がある。日本では幸徳君が前者であって片山君が後者である。自分はその真ん中どころの正統派マルクシズムだと言ったのをよく覚えています。」

さらに堺の念頭には、米・ベラミーの「国家社会主義」と英・モリスの「共同体社会主義」（コミュニタリアニズム）の国際的論争もあったわけで、国家社会主義の枠組みとして、無政府主義との対立関係では、右に権力への参加介入・同権型の「社会民主主義」、左には政権奪取の「プロレタリア独裁」型のボリシェビズムがある。片山潜も、大きくは国家社会主義の枠組みに中で、日本では右の議会主義から、ソ連では左の「プロレタリア独裁」の政権へと変身し、「クレムリンの壁」に葬られた。堺は、第三の英・モリスのマルクス主義を正統的マルクス主義と銘打って、「私はあくまで正統マルクス派の立場を守る」と山川に誓っていたのだ。

さて、山川の『自伝』では、三つの「理論闘争」の時期、❶一九〇七年（明四〇）前後、❷一九二一年（大一〇）前後のアナ・ボル論争、❸一九二六年（大一五）からの日本資本主義論争の三つの時期をあげ、さらに「社会主義思想分化のあと」の項目を立てて、五つの転換点があった、と整理している。

(1)一九〇一年（明三四）明治の社会民主党の前後から日本の社会主義運動が始まり①キリスト教社会主義（片山、安部）②自由民権思想（幸徳）、それに一九〇五年（明三八）頃からマルクシズム（堺）が加わる。

(2)一九〇七（明四〇）頃の論争では、改良主義（修正派）と革命派（無政府主義＋正統派マルクシズム）に分化。

(3)一九一七年（大六）ロシア革命、ボリシェビズム（マルクス・レーニン主義）流入。

(4)一九二一年（大一〇）アナ・ボル論争、上記(2)の革命派が分化。

(5)一九二六年（昭元）日本共産党と正統派マルクシズム（労農派）の分裂。

さらに山川は、「共産党と労農派の対立点」として、以下のように整理する。

(一)ボリシェビズムの評価

共産党：「マルクス・レーニン主義」（ボリシェビズム）こそは、マルクス主義の唯一の正統的な発展であり」「唯一の真実のマルクシズム」、ロシア革命が社会主義革命の唯一普遍的な方式、ロシア革命の革命的実践が普遍的基準。

労農派：後進ロシアだけに特殊な条件の理論と実践に過ぎず、「マルクスの基本理論をロシア革命の特殊な条件に対応、発展させた理論」、各国の革命運動は各国の条件によるもので、ボリシェビズムとは異なる理論と実践

㈡ コミンテルンの評価

共産党：「コミンテルン自体が一枚岩でできている単一の党、すなわち世界的党」、各国共産党は「一支部」、各国のプロレタリア運動も「モスクワという一つの指導部の指揮により進められる。

労農派：各国の土壌に根差した「社会運動の自主的な行動」、かつ自主的な責任で達成されるべきであり、国際主義も「自主性をもった各国の運動の緊密な国際協力によって成り立つべきもの」

㈢ 戦略論

共産党：日本の権力は絶対主義国家、それゆえブルジョア民主主義革命をプロレタリア革命に強行転化する方式、ロシア革命での二月革命・一〇月革命の二段階革命

労農派：金融独占資本による帝国主義ブルジョアジーの政治勢力の支配、天皇制などは「封建遺制」、プロレタリアが政権を握る社会主義革命の一段階革命、革命による政治的自由や民主主義の実現

㈣ 政党論

共産党：「結合する前に分離せよ」外部注入による「ボリシェヴィキ型の職業革命家の党」「合法的な政党の原則的な否定」と加入戦術の利用

労農派：「ブルジョアジーと対立するすべての社会層による大衆的政党」、合法的政党による政治的

へゲモニーの確立、「共同戦線的な性質をもった単一の無産政党の実現」

㈤　労働組合論

共産党：労働条件の改善から国家権力の奪取による「プロレタリア独裁」の組織と運動に転化、組合主義や経済主義から政治主義への止揚

労農派：労働条件の改善とプロレタリア解放の統一を目指す

以上、山川の整理は極めて明快だし、ボリシェビズムのマルクス・レーニン主義、「プロレタリア独裁」、ソ連型社会主義、これらのドグマが全面的に否定されている。それに対し「正統的マルクス主義」としての労農派が位置付けられている。ただ「労農派」としては、一般的に「講座派」に対置され、コミンテルンによる日本革命についての三二年テーゼなど、「日本資本主義論争」との関連も重要だろう。(注)しかし、戦後の日本資本主義の発展など、すでに論争の論点が大きく変化してしまったし、さらにソ連も崩壊、むしろ日本資本主義分析として別途に論ずるのが適当と思う。ここでは「正統的マルクス主義」の継承の意味で、東北の労農派の群像から二人を選んで、その今日的意義を具体的に明らかにしてみたい。

（注）「日本資本主義論争」については、ここで立ち入らない。国家権力について、共産党系の講座派は、明治維新以降も絶対主義国家と規定し、民主主義革命から社会主義革命への「二段階革命論」を主張した。労農派は、明治維新をブルジョア革命、その後資本主義として発展していると主張した。内容的には、「封建論争」「地代論争」「寄生地主論争」「マニュファクチュア論争」など、激しく論争したが、戦争で中断し戦後も論争が続いた。

# 第５章

## 労農派コミュニタリアニズムの群像(1)

## 宮沢賢治

## 1　労農派シンパとしての宮沢賢治

東日本大震災もあり、宮沢賢治（一八九六明二九―一九三三昭八）の新しいブームである。すでに日本の国民的作家の地位を得てしまった賢治について、改めて紹介の必要はないだろう。東北・岩手県花巻出身の童話作家、詩人、教師、農業改良技師など、超人的とも言える多方面での多彩な活動を続け、三七歳の短い生涯を終わった。その宮沢賢治を「労農派シンパ」と呼んだら、異論もあるだろう。しかし、賢治の父親の宮沢政次郎さんは「賢治は労農派のシンパだった」と明言していたのであり、地域の社会的活動の大事な一面だったことは否定できないと思う。(注)まずは「労農派シンパ」としての宮沢賢治を取り上げたい。

（注）「労農派シンパ」の意味は、それほど厳密ではない。おそらく「労農党の党員ではない」という意味で使われたのであろう。シンパとは、いうまでもなく英語の sympathizer の略だが、イギリスなどでは党員は member、同調者として sympathizer が使われているようで、それ以下は「支持者」とか「投票者」が続いたようである。賢治の場合、党員として選挙に出たわけではなく、選挙の有力な協力者であり、まさに「労農派シンパ」だったと言える。

賢治の多彩極まりない活動から生まれた作品の中で、寓話でもなく、詩作でもない、しかし詩的なスタイルで書かれた『農民芸術概論綱要』がある。もともとわずか四年ほどで自分から退職してしまった「花巻農学校」の最後に、併設された「岩手国民高等学校」の併任として担当した「農民芸術論」の講義案として準備されたノートだった。それをまとめたものだが、ここで「序論」と「農民芸術の興隆」の部分を、少し長くなるが引用する。

序論

――われらはいっしょにこれから何を論ずるか――
おれたちはみな農民である　ずゐぶん忙がしく仕事もつらい
もっと明るく生き生きと生活する道を見付けたい
われらの古い師父たちの中にはさういふ人も応々あった
近代科学の実証と求道者たちの実験とわれらの直観の一致に於て論じたい
世界がぜんたい幸福にならないうちは個人の幸福はあり得ない
自我の意識は個人から集団社会宇宙と次第に進化する
この方向は古い聖者の踏みまた教えた道ではないか
新たな時代は世界が一の意識になり生物となる方向にある
正しく強く生きるとは銀河系を自らの中に意識してこれに応じて行くことである
われらは世界のまことの幸福を索ねよう　求道すでに道である

農民芸術の興隆
——何故われらの芸術がいま起こらねばならないか——
曾てわれらの師父たちは乏しいながら可成楽しく生きてゐた
そこには芸術も宗教もあった
いまわれらにはただ労働が　生存があるばかりである
宗教は疲れて近代科学に置換され然も科学は冷たく暗い
芸術はいまわれらを離れ然もわびしく堕落した
いま宗教家芸術家とは真善若しくは美を独占し販るものである
われらに購うべき力もなく　又さるものを必要とせぬ
今やわれらは新たに正しき道を行き　われらの美をば創らねばならぬ
芸術をもてあの灰色の労働を燃せ
ここにはわれら不断の潔く美しい創造がある
都人よ　来ってわれらに交れ　世界よ　他意なきわれらを容れよ

さて、まず「世界がぜんたい幸福にならないうちは個人の幸福はあり得ない」だが、ここでの「ぜんたい」とは「本当」の意味で、賢治が求めた「本当の幸福」について、すでに共同体社会主義（コミュニタリアニズム）の見地が提起されていることがわかる。「一人は万人のために　万人は一人のために」の生協運動などの標語にもつながる思想だし、「晩期マルクス」からW・モリスなどへの流れでもある。さらにまた、『銀河鉄道の夜』など、賢治の宇宙観ともつながっている。その上で、「農民芸術の興隆」として農民労働の芸術化、芸術の労働化として「芸術をもてあの灰色の労働を燃せ」という訴えが、「地人」から市民としての「都人」、そして宇宙につながる「世界」に投げかけられているのだ。この訴えこそ、モリスのキーワードだった"Art is man's expression of his joy in labour"なのだ。(注) 賢治は講義ノートの段階では、わざわざ「注記」としてモリスのキーワードを英語で板書していたらしい。賢治の農民芸術を支える労働観は、モリスが尊敬するJ・ラスキ以来のCommunitarianismの思想だったことを、まず銘記したい。

（注）もともとはラスキが使ったとも言われているが、モリスもオクスフォード大の講演で使い、それが著作集にも収められている。そこでは、わざわざ大文字の活字が使われているので、かなり一般化したキーワードになっていたのであろう。勘の鋭いモリスの言葉を、これまた勘の鋭い賢治が花巻農学校の講義で利用したのであろう。

それだけではなかった。花巻農学校を辞めて「本当の百姓」を求めて始めた花巻の「羅須地人協会」だが、そこでも集まった農民たちにモリスの思想を講義していた。この羅須地人協会は、賢治の意気込みにも拘らず、わずか二年ほどで解散し、賢治の失敗だったとされている。しかし、協会の活動停止の事情は複雑であり、賢治の失敗や挫折で片付く話ではない。賢治がモリスの農民芸術を講義しながら、農民による演奏会や上演活動を目指していたし、その点に「労農派シンパ」の活動もあった。当時、最年少で地元の小学校しか出ていなかった伊藤与蔵さんの「賢治聞書」(注)に、こんな話が出てくる。少し長いが引用する。

(注)「賢治聞き書」は何種類かあるが、羅須地人協会に関連したものは、伊藤与蔵(聞き手　菊池正)の聞き書きが詳しい。拙編著『賢治とモリスの環境芸術』(時潮社、二〇〇七年刊)第一部を是非参照されたい。なお、伊藤氏の「聞書」も引用されているが、杉浦　静「宮沢賢治と労農党」(「国文学　解釈と鑑賞：特集　宮沢賢治」二〇〇〇年二月号)で当時の賢治の心象変化について、極めて興味深い分析がある。是非参照されたいが、後述のレーニン『国家と革命』との関連で、「賢治はマルキシズムを否定的に理解し、とりわけ〈革命〉による改革には対立する立場にあったことだけはうかがわれる。」唯、レーニンとの関連ではその通りだが、マルクスとの関係では「晩期マルクス」、そして賢治によるW・モリスとの関連を考慮すべきであろう。

「農民芸術という学科もありました。これは大変難しくてよくわかりませんでしたが、ウィリアム・モリスなどの言葉を引用し説明されました。〈芸術は唯ひとつの表現である〉〈人間はよく働かなければならないこと〉〈働く中で立派なものをつくっていくこと〉というように言われました。〈何も汗水を流し苦しく働くことだけがいいことではない〉とも言われました。これは先生から聞いたことであったかどうかあやふやですが、働くということは〈はたを楽にすること〉ということが心に残っています。はたというのは周囲の人たちということです。自分だけ得をするため汗水流して働くことは本当の意味の働くことではないということです。働くことは家族なり、地域なり、また国の発展のために努力することだと教わりました。例えば演劇活動も一つの労働です。演劇の中の役には必ずしも善人だけではありません。悪人も必要です。悪人の役をやる人があってはじめてその演劇が成り立つのです。同じように人にはそれぞれの役割があり、その役割が全体にどのような関係になっているかを良く考えることが必要です。そういう理解に立ってみんなのために尽くすことが労働です。〈大昔は、人間はみな百姓でした〉と先生は言われました。〈当時の百姓の生活には歌もあり、踊りもあり、芝居もあったのです。世の中が進むにつれてそれらのものはみな職業芸人に横取りされてしまって、百姓には唯々生産的労働だけが与えられるようになったのです。これからの百姓は芸術をとり戻して楽しく働くようにならなければなりません。〉というようなことをおっしゃったように思います。」

まさに賢治による適格なモリス理解だし、与蔵少年への説明でもある。こうした労働観にもとづき、羅須地人協会のメンバーと共に、賢治は楽団を組織して演奏会を開催し、配役を振り分けて芝居の上演をしようとした。新たな農民芸術の創造だし、モリスのアート&クラフツ運動の実践だったと思う。だから、〈「教える人」としての賢治の究極の思想がもっとも鮮烈に、かつ直截に示されるテクスト、それが断章的な書きつけとして遺された『農民芸術概論綱要』です。〉また、〈ここで賢治が「農民芸術」という新たなヴィジョンをもって伝えようとしているもっとも重要な批判的論点は、まさに「労働」という頸木からいかにして民が解放されるべきか、というこの時代における危急の課題です。〉（今福龍太「新しい宮沢賢治　第九回　無何有郷からの通信」『新潮』二〇一九年一月号）さらに今福論文は「物質的繁栄と科学の進歩が、必ずしも万人の生活を幸福にするものではないという考えが、マルクス主義の大きな影響力のもと、一部の論者たちによってここで初めて真剣に主張されはじめました。」それにつけても一九八一年のことだが、マルクス死後一〇〇年を前にして、ロンドン留学の際、『マルクス・イン・ロンドン』の著者A. Briggs教授に会い、マルクスからモリスへの研究を強く薦められたことを懐かしく想い起こす。(注) マルクスからモリス、そして賢治への流れの出発点だった。

(注)『マルクス・イン・ロンドン』は一九八二年、翌年のマルクス死後一〇〇年を前にして、ロンドンで約半生を過ごし、大英博物館の図書室を利用して『資本論』を書いたマルクスの伝記のテレビ番組を、BBCが制作した。そのキャスターがBriggs教授であり、BBCはテレビ制作と同時に、教授の著作として『MARX IN LONDON』を出版した。そんな縁から邦訳『マルクス・イン・ロンドン』(小林健人・訳、社会思想社刊、一九八三年)の監修者となった。『資本論』の純粋資本主義の世界は、その時点で「ちょうど一〇〇年前の物語」のロンドンを中心とするイギリス資本主義の発展から抽象され、マルクスもモリスも共にロンドンの生活者だったのだ。

## 2　宮沢賢治の羅須地人協会

宮沢賢治の活動が多様で多彩極まりないものだったこともあり、彼の思想遍歴も多様である。誰でも若い時の思想をもち続けることは少ないが、賢治については宗教的な葛藤が大きい。とくに日蓮宗、法華経との関連で、「国柱会」の活動にかかわった点が注目されている。盛岡高等農林時代には、同人誌「アザリア」との関連で、学友の保坂嘉内との交流が強かったようだが、その後「一九二一（大一〇）年一月二三日、突如賢治は家を出た。国柱会に入会以来父へ改宗を迫り、しばしば激しい論争をした。しかし父の容れるところとならず、この日たまたま店番中日蓮遺文集が棚から落ちて背を打ち、さあ行け励ますように感じて家出を決行した。上京して国柱会を訪い、本郷区菊坂町七五（現文京区本郷四丁目三五番五号）稲垣方に下宿した。仕事は赤門前の文信社――小出版社のガリ版切り、夜は国柱会に奉仕し」と「年譜」が伝えている。有名な「家出事件」だが、国柱会に入会して活動に関心を持っていたにしても、賢治の家出そのものは、父親との諍いや家業が嫌だったことが原因で、その口実が国柱会だったように思える。国柱会活動のための家出ではなさそうであり、だから下宿で大量の童話の原稿を書き、八月には妹トシの病気で早々に帰郷したのだ。日蓮宗への信仰は長く強かったが、国柱会の活動参加はごく短期間だった。

若い時、右翼の活動にかかわった点では、労農派の堺利彦も似ている。文士として多くの新聞社や雑誌社と関係したが、兄の堺乙槌を頼り、大阪に出てきて「新浪華」という新聞社に入社した。ここは国粋主義の系統に属する新聞で「社会主義者、マルクス主義者として知られる堺利彦は、二十代初めには国粋主義の陣営に加わっていたのです」（黒岩比佐子『パンとペン』より）逆の例もある。堺たちの「平民社」が財政危機に陥った際には、「北輝次郎」の名前で、後の右翼の大物となった当時二一歳の「北一輝」がカンパしたこともあった。こうした堺利彦の遍歴の幅の広さが、すでに紹介した彼の「社会主義鳥瞰図」において「あらゆる思想はみな濃淡のボカシをもって連続している」、つまり「右の右は左、左の左は右」であり、堺をはじめ労農派の思想には、幅に広さがあった。その点も、W・モリスと共通する。モリスも、マルクス主義者を自任しながら、エンゲルスからは「空想的社会主義者」として敬遠され、排除された。また、マルクスの娘エレノアや『社会主義』の共著者バックスと結成した「社会主義者同盟」も、アナーキストに支配されるなど政治的に苦労した。こうした幅の広さは、ロシア革命後のマルクス・レーニン主義のドグマ化されたセクト主義との大きな違いだ。

その点で宮沢賢治の思想的立場として重要なのは、アナーキストとの関係だろう。賢治は生前には、一九二四年（大一三）に詩集『春と修羅』、それに童話集『注文の多い料理店』の二冊しか公刊できなかった。それも事実上は自費出版、しかも売れ行きは頗る良くなかった。そんな賢治の著作について、まず『春と修羅』の方に高い評価が出た。読売新聞にアナーキストの辻潤が「惰眠洞妄語」で激賞したのだ。さらに草野心平の『銅鑼』同人に勧誘され、賢治も寄稿することになった。こうして無政府主義者のグループとして活動することになった。大逆事件の幸徳秋水に続いて、一九二三年の関東大震災の甘粕事件で指導者の大杉栄が虐殺された直後でもあり、賢治の立ち位置は微妙だったことは言うまでもない。幸徳秋水や大杉栄と堺利彦たちとの関係を考えると、すでに賢治は花巻農学校の最後、花巻・羅須地人協会の立ち上げのかなり以前から、(注)アナーキストなどとの近い思想的立ち位置だったのは明らかだ。

（注）賢治は労農派シンパである以上に、アナーキストとの関係が深い点は重要だろう。羅須地人協会の活動と同時にアナーキズムとの関係も深まったし、とくに『銅鑼』同人で中国の詩人、黄瀛《こうえい》との関係については、佐藤竜一『黄瀛』（日本地域社会研究所、一九九四年刊）を参照されたい。

花巻農学校時代、賢治の生活は充実し、楽しいものだったらしい。その教師生活を捨てて「羅須地人協会」を始めた理由だが、建前としては「本物の百姓」を目指したからである。しかし、具体的な理由となれば、モリスなどを継承する「農民芸術」の実践である演奏活動、「ポランの広場」など演劇の上演活動が、治安維持法などで学校の教育現場では不可能になった。また、盛岡高等農林で同窓・同級・同室でもあった親友で、将来を誓いあった高橋秀松が、早々に水戸の農学校の教師を辞めて、当時は『貧乏物語』で有名な河上肇が学部長だった京都帝大経済学部の学生となった。(注)「自由学校」ともいえる羅須地人協会の発足の際の岩手日報のインタビュー記事にも、「新しい農村の建設に努力する花巻農学校を辞めた宮沢先生」との見出しで、「それには、自分に不足であった農村経済の研究をし、耕作をしながら幻灯会やレコードコンサートを開くなど、生活すなわち芸術の生涯を送りたいし、同志が二〇名ばかりあるので作物の交換を行い、静かな生活をつづける考えであると記されている。」（『年譜、一九二六年（昭元）四月一日）後述するが、仙台の東北大あたりで「農村経済の研究」の点は、上記の高橋秀松からの刺激を受けているようだし、「芸術の生涯」はモリスの農民芸術の実践が大きな理由だったのではなかろうか？

（注）賢治の高等農林時代の親友として保阪嘉内の名が挙げられるが、同人雑誌の仲間としては嘉内だが、学生時代の親友の意味では、高橋秀松との交友が重要だと思われる。拙稿「宮沢賢治と高橋秀松―二人の友情と〈産業組合〉」（『賢治学』第六輯、二〇一九年刊）参照のこと。

こうした経緯で、すでに不自由になっていた学校の教育現場から離れ、下根子桜の宮沢家の別荘で羅須地人協会の「自由学校」はスタートした。「花壇をつくり、崖下の荒地を開墾し、やがて農学校卒業生らを集めてレコードコンサートや音楽の合奏練習をはじめる。一方、稲作、肥料相談所を各所に準備する。」『農民芸術概論綱要』に描いた夢、そしてコミュニタリアニズムの実践の場として、賢治の羅須地人協会はスタートした。そして、賢治自らが「集会案内」のガリ切りをして、農民芸術の講義や砕石肥料などの化学的説明を担当する。皆が楽器を買い求め「セロ弾きのゴーシュ」に描写されているような合奏練習、「ポランの広場」で実践した演劇上演の準備も進められていた。しかし、こうした集会形式の活動への弾圧の手が、すでに治安維持法のもと、花巻農学校の教育現場だけでなく、さらに「自由学校」の羅須地人協会にも伸びてきた。（注）賢治の夢や理想、集まってきた協会メンバーの大きな期待も、大正デモクラシーが関東大震災で終末を迎え、世界大恐慌の接近を前にして、正しく風前の灯火だったのだ。

（注）羅須地人協会も音楽会や演劇上演などができなくなり、「集会形式」の活動は停止された。しかし、組

織としては解散しなかったし、活動も全面停止したわけではないと思う。上記、伊藤与蔵「賢治聞書」でも、与蔵は満州事変から帰国後、下根子での賢治による活動再開を強く期待していた。

当局が羅須地人協会の活動に目を付けたのは、協会の「集会形式」の活動だけではなかった。賢治が意識的にオルグ活動をしたかどうか不明だが、例えば山形・新庄の松田甚次郎の「最上協働村塾」、伊藤七雄による伊豆大島の「農芸学校」との関係は深い。ただ、当時の風潮としては、いわゆる労農派の系統として、日本でも一九二〇年代全国的に「会社が作った養成所や政府や自治会が経営した労働学校ではない、いわゆる〈独立労働者教育〉を目指した学校で十年以上続いたのは東京と大阪だけでした」（二村一夫「大阪労働学校の人びと」）とあるように、とくに大阪労働学校などは、「大原財団」「大原社会問題研究所」の支援もあり、花巻の羅須地人協会より少し早く一九二一年（大一一）設立、一六年間も存続した。創立者の中心は、協同組合運動で有名な賀川豊彦、それに教授陣が豪華で、学長クラスが大内兵衛、森戸辰男、学者では高野岩三郎、新明正道など、ジャーナリストも笠信太郎、尾崎秀美など多士済々、錚々たる陣容だった。賀川豊彦と言い、森戸辰男と言い、W・モリスなどの「共同体社会主義」（コミュニタリアニズム）の流れも強い。(注)こうした労働学校の動きに連動した「農民学校」としての花巻「羅須地人協会」にたいして、当局の眼が光ったかも知れない。

（注）大阪労働学校など、政府の公的機関や企業の営利目的ではなく、労働者や農民の自主的な「自由学校」

が活動を開始していた。その点については、さらに拙稿「宮沢賢治の〈羅須地人協会〉：賢治とモリスの館、開館十周年を迎えて」、また「ウィリアム・モリスと夏目漱石、それから宮沢賢治」（いずれもパンフレット「仙台・羅須地人協会」編）を参照されたい。

松田甚次郎の「最上協働村塾」だが、甚次郎は賢治の後輩として、一九二八年（昭三）に盛岡高等農林を卒業、すでにスタートして新聞でも話題になっていた「羅須地人協会」を訪れた。そこで賢治から「小作人たれ」「農村劇をやれ」と強く諭され、その感銘を胸に「最上協働村塾」を立ち上げ、多くの農村婦人の参加もあり、活動は戦時下まで続いた。賢治もそうだし、甚次郎もそうだが、東北の豪農出身であり、いわゆる地主の「金貸・商人資本」として有力な地方の事業家の子息であった。そうした家庭でなければ、そもそも高等農林などに進学できない時代だった。だから「小作人たれ」と言われても、小作人になれる筈がないから、小作人の立場や気持ちを踏まえて活動し、そして農民芸術としての「農村劇」など実践しろ、と賢治は激励したのであろう。「小作人たれ」は、賢治らしい心象表現であり、あくまで「農村劇」など、モリスからのアーツ＆クラフツ運動による農村改革運動だった。

伊藤七雄が計画した「大島・農芸学校」も同様であり、「伊藤七雄は胆沢郡水沢町の豪商の出で、ドイツ留学中に胸を患い、療養のために伊豆の大島に転地し、ここに土地を買い、家も建てて暮らしていた。妹は兄を看病していた。」（堀尾青史『年譜宮沢賢治伝』）また、七雄は早稲田大学出身で、浅沼稲次郎とも親しく、「建設者同盟」の系統で、日中交換学生の実現、大震災時の朝鮮人学生の保護などでも活躍した。

伊豆大島での療養も、三宅島出身の浅沼の紹介らしいが、健康が一時回復した機会に、すでに一九二六年（昭元）に労農党支部大会で会ったことのある賢治を訪ねて、一九二八年（昭三）に妹と共に花巻に来ていた。その返礼を兼ねて、賢治の大島訪問の旅となった。その際、大島の水産・漁業との関連も考慮したのであろう、わざわざ仙台で開催中の「東北産業博覧会」（仙台商工会議所主催）にも立ち寄り、そのデータを持って大島の七雄を訪問し協力している。こうした点では、賢治の活動はすでに生産協同組合など、労農党の農民運動の一端を担うことになっていたのだ。

さらに加えると、花巻の羅須地人協会の活動は、賢治が実家を出て別宅で「独居自炊の生活に入る」とされている。しかし、実際は『賢治と一緒に暮らした男：千葉恭を尋ねて』（鈴木守著）がいた。千葉も水沢出身で、一九二三年（大一二）穀物検査所花巻出張所で賢治に出会い、賢治の希望もあって、下根子桜の別宅に八か月ほど寄寓した。ただ、千葉も時折は水沢の実家に帰り、農業を手伝っていたらしいし、その後は実家に戻って帰農している。問題は、帰農した後、千葉は実家で「研郷会」を組織し、以後もたびたび下根子桜の羅須地人協会を訪問、水沢の「研郷会」の活動状況を賢治に報告している。その限りでは、花巻と水沢に活動のネットワークが形成され、地域活動の輪が拡大を始めていた。こうした動きもまた、官憲の注目を浴びることになったろうし、とくに一九二八年は、周知のとおり治安維持法による「三・一五事件」で共産党員の大検挙、続いて労農派の関係者も多数検挙された。羅須地人協会の活動は、その活動自身が問題になったろうし、さらに組織的ネットワークの拡大も弾圧の対象になったと思われる。

とくに岩手県でも、浅沼稲治郎などが来て労農党の支部結成の動きがあり、上記のように賢治も参加協力し、ここで伊藤七雄との縁もできた。さらに一九二八年には第一回の普通選挙に労農党稗貫支部から代表の泉国三郎が立候補、賢治も積極的に応援した。「バケツいっぱいのしょうふのりにハケをつっこみ、片手に新聞紙いっぱいに〈泉国三郎と書いたのをもって、町中貼ってあるいたばかりか、謄写版も貸してくれ、おまけに二十円の金まで使ってくださいとおいていた〉（煤孫利吉談）ことも記している。」（青江舜次郎『宮沢賢治』）こうした賢治の行動もあり、警察の事情聴取もあったし、さらに宮沢家に対しても恐らく牽制の働き掛けもあったことが予想される。羅須地人協会活動のうち、とくに集会形式の活動、演奏や上演などの団体活動を規制せざるを得なくなったのではないか？『年譜』には次のような説明がある。「八月一〇日、発熱し豊沢町の実家で臥床、四〇日間、熱と汗に苦しむ」「九月下旬、一応回復し、下根子の協会へもどぅたが再び実家で臥床」「一二月、急性肺炎を起こす。」要するに、賢治の病気のため、下根子桜の羅須地人協会活動は終わったことになっている。しかし、当時の賢治の健康状態、気象状況、稲作の作況など、綿密な検証により『年譜』は本当の「真実」を伝えるものではなく、「賢治の療養状態は、大した発熱があったわけでもないから療養の傍菊造りなどをして秋を過ごしていた。」（鈴木守『羅須地人協会の終焉：その真実』）

「真実」は、秋の「陸軍特別大演習」を前にして行われた官憲の「アカ狩り」から逃れるため、賢治が病気であることにして、実家に戻って自宅謹慎、蟄居していたのだ。

「・当時、〈陸軍特別大演習〉を前にして、凄まじい〈アカ狩り〉が行われた

・賢治は当時、労農党稗和支部の有力なシンパであった

・賢治は川村尚三や八重樫賢師と接触があった
・当時の気象データに基づけば〈風雨の中を徹宵東奔西走〉する風雨はなかった
・当初の賢治の病状はそれほど重病であったとは言えない」

以上が、「不都合な真実」に対する本当の「真実」であろう。現在、また将来を考えれば、本当の真実を明らかにしておくことは大事だと思う。上記の通り、地元の労農党員の川村、八重樫が犠牲になったことを考えれば、賢治の身も、羅須地人協会そのものも、弾圧の危機にあったのだ。「不都合な真実」だったにしても、協会のメンバーと共に賢治が生き延びるためには、また岡山・倉敷の山川均の不敬罪事件で「一家取潰し」の例から宮沢家の存続を図ろうとすれば、「嘘も方便」で病気を理由にせざるを得なかった。それが「暗い谷間」に堕ちていく当時の東北の現実だったことを書いて置きたい。また、この事件で、『羅須地人協会の終焉』を迎えたというのも、本当の「真実」とは言えないことを強調したい。賢治が病気を理由に、羅須地人協会の「集会形式」の活動を止めたことが、羅須地人協会の活動の失敗であり、賢治の挫折であり、思想的な転換である、といった厳しい評価がある。確かに賢治の状況判断に甘さがあったにせよ、全体的には三・一五事件を中心とする弾圧の犠牲だったし、秋の陸軍大演習のための天皇行幸を利用した予防検束の一環として、羅須地人協会の集会形式の活動が停止に追い込まれた。(注)しかし、稲作や肥料相談、花壇設計などの活動は続けていたし、当時の「産業組合」活動に進むことになった点を忘れては困る。

（注）鈴木守『羅須地人協会の終焉』は、「終焉」の表現はともかく、羅須地人協会の活動や宮沢賢治の「本当の真実」を綿密な検証により明らかにされた点で、心から敬意を表したい。「本当の真実」が解明されなければ、その評価は出来ないのであり、貴重な労作といえると思う。なお、鈴木氏の著作は、自費出版のような形で刊行されているので、購入に留意されたい。

## 3　「産業組合青年会」への夢

賢治の詩作の一つ「産業組合青年会」は、『春と修羅』第二集に予定されていた。また、一九三三年（昭八）九月五日に、福島県須賀川市にあった『北方詩人』に送稿、事実上の遺稿のような形で、賢治の死後一〇月一日の二巻七号に掲載された。賢治は死に瀕して「南無妙法蓮華経」を唱題し、法華経を一〇〇〇部刊行して知己に配ることを父親に頼んで死地に付いたとのことだ。信仰としては法華経だが、自ら死の直前に『北方詩人』に送稿した「産業組合青年会」に、賢治は自らの最後の夢を託しつつ死んで行ったと見るべきではないだろうか？　念のため、以下引用しておきたい。

「祀られざるも神には神の身土があると
あざけるようなうつろな声で
さう云ったのはいったい誰だ　席をわたったそれは誰だ
　　――雪をはらんだつめたい雨が
　　　闇をびしびし縫ってゐる――
まことの道は
誰が云ったの行ったの

さういふ風のものでない
祭祀の有無を是非するならば
卑賤の神のその名にさへもふさはぬと
応へたものはいったい何だ　いきまき応へたそれは何だ
　――ときどき遠いわだちの跡で
　　水がかすかにひかるのは
　　東に畳む夜中の雲の
　　わずかに青い燐光による――
部落部落の小組合が
ハムをつくり羊毛を織り医薬を頒ち
村ごとのまたその聯合の大きなものが
山地の肩をひとつとこ砕いて
石灰岩末の幾千車かを
酸えた野原にそゝいだり
ゴムから靴を鋳たりもしやう
　――くろく沈んだ並木のはてで
　　見えるともない遠くの町が

ぼんやり赤い火照りをあげる――
しかもこれら熱誠有為な村々の処士会同の夜半
祀られざるも神には神の身土があると
老いて呟くそれは誰だ」

信仰の問題と「産業組合青年会」の活動と集会の関係をめぐつて、長い間の賢治の重く深い考慮が込められている感じだ。ここで浅薄な評価を差し控えるが、「産業組合」の事業として石灰岩の砕石事業が取り上げられている。すぐ思い浮かぶのが、賢治が三・一五事件、そして天皇行幸の陸軍大演習、その時点での自宅での療養の後、健康が一時的に回復した時のことである。その間に従事したのが、岩手県一関の松川「東北砕石工場」の技師の仕事だった。「山地の肩をひととこ砕いて　石灰岩末の幾千車かを　酸えた野原にそそいだり」した、その激務が病身の賢治の死を早めた。盛岡高等農林で土壌学を学び、東北の酸性土壌の改良によって、東北農業の再生と共に、貧困からの脱却を目指した賢治としては、自らの遺言に代るものとして、推敲を重ねてきた詩作「産業組合青年会」を、須賀川の『北方詩人』に自ら送稿したのではないか？　神の身土にも思いを馳せながら、青年会の新しい運動に夢と期待を寄せているのだ。

「産業組合」だが、これは戦前の呼称であって、現在は一般に「協同組合」と呼ばれている。戦前は、農業団体を中心に、広く生活協同組合まで含む組織の総称だった。一九二〇年（大九）に当初は信用事業が中心だったが、「産業組合法」が公布された。それ以前は、頼母子講、無尽講、報徳社など勤倹貯蓄、相互扶助の組織、また地域の販売や購買などの組合が自発的に誕生していたらしい。それをドイツの協同組合を参考にして法制化した。信用事業中心の農村協同組合だったので、始めは富裕な地主や農民が主だったが、一九〇五年に中央会が創設、各県に分会も組織され、系統化が進んだ。こうした組織化を背景に、中央会が「国際協同組合同盟（ＩＣＡ）」へ加入、また「中央金庫法」が公布・設立され、全国購買組合連合会も設立された。当時の労働運動の拡大とともに、生協運動もまた活発化し、例えば「日本一のマンモス生協」として有名な神戸の「灘生協」も、二一年に賀川豊彦の指導により「神戸購買組合」「灘購買組合」として誕生、二四年には利用事業の兼営も許可され「醸造工場」を設置、味噌・醤油の製造・販売も開始された。(注)

(注) 戦前は「産業組合」のもとに、生協も農協も日専連も信用組合なども、協同組合は一本化されていた。とくに「青年会」の組織が活発だったが、戦時下の統制経済の下で各省庁別に組織化され、戦後は分断されて組織化・系統化されている。国際的な協同組合運動を考慮すると、戦前型の「統合化」「一本化」が要求されているように思われる。

すでに述べたが「大正デモクラシー」の時代、そしてロシア革命の影響もあり、民主主義や社会主義の運動が高揚、その中で「産業組合」の名前のもと、日本でも協同組合運動がスタートした。しかし戦後景気が終わり、関東大震災、二五年（大一四）には治安維持法が成立し、労働運動や無産政党と共に、農民運動も弾圧された。二七年金融恐慌、二九年世界大恐慌と続き、とくに東北農村は凶作の年が続いた。農民は疲弊のどん底に突き落とされ、娘の身売りなどが続出した。すでに説明したが、この中で宮沢賢治の立ち上げた「羅須地人協会」の集会形式の活動も弾圧されたのだ。稲作相談、砕石肥料相談を続ける病身の宮沢賢治にとって、「産業組合青年会」の夢と期待を、東北砕石工場の石灰肥料の普及拡大に向けて実現しようと考えたとしても不思議ではない。「山地の肩をひとしく砕いて　石灰岩末に幾千車かを　酸えた野原にそそいだり」する賢治の心中を深く察したい。「産業組合」活動との関連を考えれば、母校・盛岡高等農林から推薦の「技師」の資格も有効だろうし、父親の理解と協力も得られる。

ここで「羅須地人協会」の夢が挫折し、夢を捨て転向した賢治にして仕舞うならば、砕石工場への就職も、単なるサラリーマンへの転職に過ぎないことになろう。賢治の働き方もまた、まさしくモーレッツ社員の「ワークホリック」であり、賢治の死も「過労死」である。そして、松川・東北砕石工場もまた、賢治を「過労死」に追い込んだ「ブラック企業」のブラックバイトになってしまう。しかし、砕石工場の経営責任者の鈴木東蔵氏の高い志を考えれば（伊藤良治『宮沢賢治と東北砕石工場の人々』国文社、二〇〇五年刊参照）、賢治の志と共に当時の東北の『産業組合』活動との関連を無視して、賢治の死を単なる営利事業の過労死にしてしまうのは疑問である。(注)一九二九年世界恐慌の真っただ中で、凶作も加わる東北農業の疲弊のどん底で、石灰岩末を普及・拡大する事業が、いかに困難な事業だったか？　賢治や鈴木東蔵たちの志を生かすことの苦悩を無視して、賢治の早かった死を受け止めることはできない。

（注）例えば、「〈本当の百姓〉になれなかった賢治が次に就いた仕事は、化学肥料のセールスマンでした」と

して「ワーカホリック賢治」の見出しのもとに、東北砕石工場での賢治の働きぶりが説明されている。（山下聖美「宮沢賢治スペシャル」ＮＨＫテキスト二〇一七年三月ＮＨＫ出版）賢治の働きぶりは、宮城県下の売り込みを見ても、大変な労働だったが、しかしセールスマンの「過労死」のように扱うのは疑問である。

ここで詳しく事業活動に立ち入ることはできないが、例えば賢治が積極的に営業活動に従事した一九三一年（昭六）の五月時点では、宮城県内各地を廻り、県の農務課に連絡したり、また農会や産業組合連合会のルートで足を運んでいる。ほんの一例だが、五月五日付の鈴木東蔵あての封書では、賢治は次のように報告している。

「拝啓　只今宮城郡農会へ参り出荷延期の申訳、並びに粒に関する諒解を得度色々申出候処先方大分強硬にて稍々当惑仕候」とした上で、以下のように交渉をまとめる諒解を求めている。

「一、工場より直接各注文者へ出荷延引及粒子の大さに関し諒解を得ること（右は小生発信可致候）

二、微留分全部を茲四日中に発送のこと（但しこれは到底不可能に候間可成取急ぐこと）就中先に

　　　　東北本線仙台駅下し　　七郷村分及

　　　　仝　北仙台駅下し　　根白石農会の分を交互に発送のこと。

三、価格は微粒十貫二十六戦とすること。

四、発送と同時に県及び宮城郡農会宛に必らず通知を発すること。」

以下、引用は省略するが、要するに宮城県の場合、県の農務課から郡農会、または産業組合を通して取

引の交渉が行われ、明らかに産業組合の関連事業として、技術指導と共に営業活動が行われていた。さらに戦前から東北大学の研究者らに助成活動を行っていた財団法人「斎藤報恩会」の小牛田にあった「農業館」の技師たちの協力を得ながら賢治は活動していた。また売り込みの商品も、賢治が盛岡高等農林で専攻した土壌改良のための石灰粉末であり、だからこそ「技師」の肩書や恩師・関教授の賛同も必要だったのだ。そして、上記の仙台周辺の七郷村、根白石村の農会とのきめ細かい連絡の記録も残されているのだ。単なる営利企業の売り込み活動との違いに注意すべきだ。

なお、詩作「産業組合青年会」との関連で、最後に賢治の童話「ポラーノの広場」に触れないわけにはいかない。詩作の初期稿が書かれた同時期の一九二四年、「ポランの広場」も書かれた。花巻農学校などで上演された戯曲でもあり、さらに何度か改作の手を入れて、後期形とも言える「ポラーノの広場」が書かれたのが一九二七～二八年と言われている。上述の三・一五事件など、「羅須地人協会」の「集会」が不可能になり、病床で松川「砕石工場」で技師として働くことを考えた、その時期に当たる。簡単な筋書き紹介だけだが、話者であるレオーノキュースト が、賢治の理想郷イーハトーヴォのモリーオ市（盛岡の転位）の博物館の職員だった頃を回想する。五ヵ月間の出来事を「逃げた山羊」「つめくさのあかり」「ポラーノの広場」「警察署」「センダード市（仙台の転位）の毒蛾」「風の草穂」の六部構成である。(注)その三年後、彼は首都トキーオ（東京の転位）の大学に移る。そこで、協力してきた「産業組合青年会」が「立派なひとつの産業組合」を作り上げたことを知り、さらに数年経ったある日、一通の郵便で「ポラーノの広場」に楽譜（讃美歌四四八番）が添えられたのを受け取り、青年たちの「産業組合」の成功をはるかに回想するファンタジックロマンだ。

（注）六部構成など、オリジナルが戯曲「ポランの広場」だったことによるように思われるが、『グスコーブドリの伝記』などとともに、賢治の自伝的作品の代表であろう。仏教徒の賢治からみれば、讃美歌四四八番は気になるが、その点についても盛岡高等農林時代の親友、高橋秀松との交友関係を考えると、賢治の宗教観の広がりが理解できる。前掲、拙稿「宮澤賢治と高橋秀松―二人の友情と〈産業組合〉」を参照されたい。

新たなスタートを切った「ポラーノの広場」では、産業組合が今でいう「六次産業」と呼べる業種構成、ブラックな営利企業に代る協同組合の業態、そして雇用労働ではない協同労働のワークスタイル、まさに地域の協同組合のヴィジョンが明確に浮かび上がってくる。「立派な一つの産業組合をつくり、ハムと革類と酢酸とオートミルはモリーオの市やセンダードの市はもちろん広く何処へも出るようになりました。」賢治のファンタジックロマンは、最後が讃美歌の合唱曲で終わる。それだけではなかった。「目下農民劇第一回の試演として今秋『ポランの広場』六幕物を上演すべく夫々準備を進めているが、これと同時に協会員によるオーケストラを準備し」（岩手日報一九二七年二月一日）と報道された。この記事が警察の目に留まり、賢治は事情聴取を受けたらしい。すでに説明したが、羅須地人協会の集会形式は開催不可能になり、賢治の病気も重なった。しかし、「石灰岩末の幾千車かを　酸えた野原にそそいだり」の「産業組合青年会」の夢を賢治は捨てるわけにはいかない。自らの死を賭けた松川砕石工場の活動こそ、賢治のイーハトヴォに捧げられたロマンスだったと思う。

だとすれば、賢治が詩作「産業組合青年会」を持って『北方詩人』に投稿したのも、自らイーハトーヴォの夢を残したのではないか。『ポラーノの広場』の最後には、上記のように四次元空間における「つめくさ」の舞台の祝宴が描き出され、そこに流れる讃美歌（四四八番）の調べもまた、仏教とキリスト教との宗教的対立などを超えた自然崇拝の賛歌だった。そのシーンはまた、『銀河鉄道の夜』とともに、ファンタジックロマンの名作として有名なW・モリスの『ユートピア便り』の最後が、テムズ川の源流コッツウオールズの教会の収穫祭の祝宴のシーンに重なってくる。詩作「産業組合青年会」、そして童話『ポラーノの広場』は、『農民芸術概論綱要』とともに、モリスなどの共同体社会主義・コミュニタリアニズムに通底する賢治思想を強く感じさせると思う。（注）

（注）さらにモリスと賢治の関係では、花巻の「イギリス海岸」の命名者は賢治だが、ユーラシア大陸を超えてドーバー海峡の向こうに本当の「イギリス海岸」がある。地質学が専門の賢治は、東西の「イギリス海岸」の地層的つながりを意識しながら、ユーラシア大陸にまたがる西域地方に強い関心を寄せ、一二〇編を超える「西域童話」、西域詩作などを残している。（金子民雄『宮沢賢治の西域幻想』中公文庫を参照）西域の「シルクロード」は、西へ「絹の道」だが、東へは「玉の道」が延びて、賢治の「西域童話」「仏教童話」の世界に繋がった。環太平洋の日本列島ではなく、ユーラシア大陸の日本列島が東北人・賢治の地政学であり、東西の「イギリス海岸」とともに、賢治とモリスの二人の「農民芸術」の思想、そしてコミュニタリアニズムが手を結んでいるのではないか？

# 第６章

# 労農派コミュニタリアニズムの群像(2)

宇野弘蔵

## 1　宮沢賢治と宇野弘蔵

「労農派コミュニタリアニズムの群像」として、宮沢賢治と共に宇野弘蔵の名前を挙げただけで、奇妙な取り合わせだと思う人が多いに違いない。確かにその通りだと思うし、二人の直接の接点もない。筆者の個人的な地縁のつながりから二人の名前を並べたきらいもあるが、もし宮沢賢治について「労農派のシンパ」と言うなら、宇野弘蔵はごく一般的に日本資本主義論争の労農派対講座派の対立構図からは、人脈から言っても歴とした労農派に属する。宇野自身も「もっとも一般に労農派といわれて来た人々は、殆んど大部分の人々が、少なくともその見解を外部から与えられたものとしてではなく、自己の見解として主張して来たといってよいのであって、こういう研究態度を共通にしている点で一派をなすものとせられたのではないかと思うが、それならばわれわれもまた労農派といわれることを決して不当とは思わない」（『著作集』別巻一九四頁、以下引用は頁数のみ）と述べている。共産党やコミンテルンのテーゼに従った講座派とは言えない労農派の土着性だろう。

早世だった宮沢賢治は、東北の花巻で一八九六年生まれだが、宇野弘蔵は一八九七年、岡山県の倉敷に生まれた。生まれは東北と関西だが、二人は一年しか違わない。ほぼ同じ年代である。宇野弘蔵は、岡山の第六高等学校から一九二一年に東京大学経済学部を卒業し、大原社会問題研究所の嘱託になり、研究者グループの労農派の領袖・高野岩三郎の娘マリアと結婚する。この辺で労農派としての人脈はハッキリするが、一九二一年に東大の本郷の卒業だとなると、ちょうどそのころ賢治も、東大赤門前の小出版社でガリ版切りをやっていた。よく知られる通り、花巻で父親と宗教上の対立から、突如家を出て上京し、「国柱会」を訪れ本郷区菊坂に下宿した。仕事は東大本郷赤門前の文信社でのガリ切りで、夜は国柱会に奉仕していた。ということで、赤門前あたりで賢治と弘蔵がすれちがっていたかも知れない。大正デモクラシー、続くロシア革命と思想的に厳しい緊張関係の下で、二人が社会に出たことは間違いない。上記の通り賢治は、妹のトシの発病もあり間もなく花巻に帰り、花巻農学校の前身・稗貫農学校に職をえて学校教師の生活に入った。

宇野弘蔵は、大原社研で大内兵衛、櫛田民蔵など労農派のグループに属したが、とくに権田保之助のもとで最初「ものにならなかった浅草調査」（七九頁）に従事した。権田氏といえば「美学を専攻された変わり種でウィリアム・モリスの研究などしていられ、――のちに〈美術工芸論〉の特殊講義をなされたこともあった」（一四一頁）さらにモリスとの関連では、大原社研には有名な「森戸事件」で東大を追われた森戸辰男もいて、無政府主義のクロポトキン研究からコミュニタリアニズムのモリス研究に進み、後に『オウエン・モリス』（岩波書店刊）を纏めている。こうした当時のモリス研究の盛行とのつながりもあり、花巻に帰った宮沢賢治もまた、モリスを下敷きにした『農民芸術概論綱要』を準備したのであろう。しかし、宇野弘蔵の方は、モリス研究ではなく、(注)学生時代から目指していたマルクス研究、『資本論』研究のために、一九二二年当時流行だったドイツ留学に向かうことになった。第一次大戦で敗戦国ドイツのマルクが大暴落（逆に円高）、ロシア革命に続くドイツ革命への期待、さらに戦後の「ワイマール共和国」への関心など、ドイツ留学が当時ブームだった。

（注）宇野は森戸をはじめ人的関係ではモリスと無縁ではないし、とくにすでに述べた通り堺利彦の「社会主義鳥瞰図」に着目、「正統マルクス派」に大きな関心を寄せていた。なお、東北大学図書館には、モリス・バックスの『社会主義』初版が所蔵され、当時は経済学科の助手を務めていた堀経夫氏が購入したもので、宇野も当然目を通していた筈である。

宇野弘蔵の場合は、新婚のマリア夫人の生家への里帰りの意味もあり、私費留学を利用して念願だった『資本論』の読了、さらに当時ようやく独訳が出たレーニン『帝国主義論』を読む事にしたらしい。ただ独への留学ブームを利用した労農派の向坂逸郎や大内兵衛などもベルリンで一緒になったので、英仏の先進資本主義に対するドイツ資本主義の後進性、ロシア革命との関連性など、『資本論』と『帝国主義論』の読破と共に、帰国後の宇野理論の形成に大きな影響を与えたと思う。宇野にとって、英仏の資本主義に対する後進ドイツ資本主義が強く印象づけられたはずだし、ドイツ社会民主党などへの関心も高められ、帰国後に関連した多くの論稿が発表された。それだけでなく同時に、後進ドイツ資本主義から、さらにもう一つ後進性の加わる日本、特に後進日本の後進地方・東北の世界史的地域特性の認識にも繋がったのではないか？　帰国後の東北大での研究、特に三段階論の形成には、このドイツ留学が非常に大きかったように思われてならない。

一九二四年秋、宇野は帰国したが、船中では講座派の論客で上記「福本イズム」で有名になった福本和夫と経済学の方法、就中マルクス・エンゲルスの「唯物史観」をめぐって激しく論争したらしい。こんな経験も、後の「日本資本主義論争」とともに、宇野・三段階論の形成に影響したに違いない。「船が神戸につくと直ぐ大原研究所の森戸（辰男）さんから東北大学に席があるようだから、これから早速仙台にいってみるようにということで、思いがけないことになった。」（九二頁）モリス研究の森戸辰男氏が、宇野弘蔵の仙台行きをアレンジして世話したことになるが、それから一五―六年間、一九四一年にいわゆる労農派教授グループ事件に連座し、裁判では無罪判決が出たものの、「昭和十四、五年以後の情勢では大学を出るということもそう悪いことではない」（九九頁）という判断もあり、東北大学を辞職して仙台を離れることになってしまった。既述のとおり、宮沢賢治も「労農派シンパ」として一九二八年の三・一五事件、東北の陸軍大演習の予防検束の影響で、花巻「羅須地人協会」の集会の停止を余儀なくされた。宇野弘蔵の場合もまた、「一二月の人民戦線派の検挙も、二月の教授グループも、もとはいわゆる労農派を掃蕩しようとするものにほかならなかった」（九七頁）と述べている。

東北大での研究内容は別にして、宇野弘蔵の着任は、法文学部の創設期（大学は一九〇七年〈明四〇〉創設、法文学部は一九二二年〈大一一〉設置）だった。宇野とともに、土居光知（英文学）、小宮豊隆（独文学、漱石の門下生）などが全国から集められ注目された。とくに高橋里美（哲学）には、岡山の高校のドイツ語の教師として、さらに仙台では法文学部の同僚として、公私に亘り世話になっている（一三一―七頁「高橋里美先生と私」参照）。宇野の論文が、ヘーゲル弁証法をはじめ、哲学的思考の重厚さに支えられていることは、高橋里美をはじめとする東北大法文学部が、理科大学と呼ばれる中での「小所帯」であり、それがかえって教科や専門の領域を超えた親密な研究交流があったことの影響だろうと思う。経済学科についても、当初は少数スタッフのために、宇野も工業、商業、農業などを一まとめにして「経済政策論」を講義した。さらに一年だけだが、一九三六年度に和田佐一郎に代って「経済原論」の講義も代行した。それがまた『資本論』研究による「原理論」として固まり、さらに経済政策論の講義から「段階論」、そして「現状分析」の三段階論のユニークな経済学の方法論を生み出す研究環境だったように思う。東北大学の、戦前の法文学部の研究、教育環境を抜きに、宇野三段階論の創出を考えることはできないと思う。

ここで東北大学の創設や開学の事情に立ち入らないが、戦前の東大、京大に続く東北大、九州大の設置だが、労農派でベルリンでは特に親しくして九州大に赴任した向坂逸郎と比較して、宇野弘蔵は「九大は文科系を重視したが、東北大学は設立以来〈理科大学だからなあ!〉」と、何度か嘆いていたことを記憶する。（注）有名な金属材料研究所をはじめ、研究所もすべて理科系だった。それと同時に、農学部との関係も難しかった。当初は、北海道の「札幌農学校」を東北帝大の「農科大学」としていた。戊辰戦争で敗北した奥羽諸藩の武士が北海道に流され、事実上の内地植民として開拓に従事した明治維新以来の流れかも知れない。しかし、日本資本主義の発展とともに東北の農業問題も重要性を高め、とくに宇野弘蔵が東北大学に赴任した時代は、「娘の身売り問題」などが続出、後述の通り東北農業は「東北振興」さらに「東北開発」として、国策の中心におかれざるを得なくなった。宮沢賢治は、花巻の地で羅須地人協会の若い農民たちとともに、宇野弘蔵は、仙台の東北大学においてゼミに集まる学生たちとともに、東北の農業、農民、そして農村について取り組まざるを得ない時代に生きた。そうした東北の農業問題が、『資本論』研究の原理論、「経済政策論」による段階論、それらから方法的に区別した農業問題としての現状分析という三段階論の方法創出に繋がったと思う。

（注）日本の国家主導型の科学技術振興による明治以来の「殖産興業・富国強兵」、「高度国防国家建設」、「経済成長・国際競争」などにより、とくに帝国大学は全体的に「理科大学」だった。（山本義隆『近代日本一五〇年―科学技術総力戦体制の破綻』岩波新書を参照）東北大学だけのことではないようだが、宇野・三段階論の形成にとっては、法文学部の小所帯が、むしろメリットだったのではないかと思う。

## 2 賢治・東北『農村経済』と宇野・三段階論

すでに簡単に触れたが、宮沢賢治が花巻農学校を辞職し、「新しい農村の建設に努力する」として、羅須地人協会を発足させた際、一九二五年（大一五）四月一日の『岩手日報』は、次のように報じた。「花巻川口町、宮沢政治郎氏長男賢治（二八）氏は、今回県立花巻農学校の教諭を辞職し、花巻川口町下根子に同士二十余名と新しき農村の建設に努力することになった昨日、宮沢氏を訪ねると〈現代の農村はたしかに経済的にも種々行きつまっているように考えられます。そこで少し東京と仙台の大学あたりで自分の不足であった『農村経済』について少し研究したいと思っています。そして半年ぐらいは、この花巻で耕作にも従事し、生活即ち芸術の生きがいを送りたいものです〉」と述べ、幻燈会やレコードコンサートなどの「集会」開催や「農作物の物々交換」を行うことを話している。ここでは「本物の百姓」とか「小作人たれ」などの発言は一切なく、むしろ『農民芸術概論綱要』での農民芸術の生活化を強調している。すでに花巻農学校などでは、当局により農民芸術の上演や演奏などの教育実践が不可能になり、賢治としては自由学校の「羅須地人協会」で実践しようとしていたのであろう。

さらに記事の中で一番気になるのは、「東京と仙台の大学あたりで自分の不足であった『農村経済』」の研究を挙げた点である。すでに述べたが盛岡高等農林時代からの親友・高橋秀松が、水戸の農学校を早々に辞めて河上肇が当時学部長の京都大学の経済学部に入学していたことも、賢治の花巻農学校の辞職、羅須地人協会の発足の一因だったと推測される。さらに、ここで「仙台の大学」となれば東北大学であろうし、東北大であれば「経済政策論」として農業政策・農政学を担当していた宇野弘蔵の名前が「労農派のシンパ」の宮沢賢治の念頭に浮かばなかった筈はない。秀松と賢治の二人が東北の農村問題の解決を目指し、秀松が品種改良、賢治が土壌改良、この二人の生涯の約束のためにも『農村経済』の研究が急務になって来ていた。宇野弘蔵もまた、後進資本主義のドイツ留学から帰国、直ちに赴任することになった東北大学で待ち受けていた講座担当が「経済政策論」であり、理科大学で小所帯の法文学部だったこともあり、経済政策の中で農業政策・農政学も重要な研究・教育の課題だった。とくに宇野が経済学の方法と体系化を図るに際しては、経済学原理の「原論」、経済政策の「段階論」、それらから区別して「現状分析」の三段階論を提起した。こうしたユニークな体系化には、秀松そして賢治などによる新たな東北『農村経済』があったと思う。

戦後、国際的にも有名になった「宇野・三段階論」の方法だが、[注1]先ず①原理論は、資本主義の発展とともに経済学も、重商主義、重農主義からA・スミスなど古典派経済学に発展していた。その批判としてマルクスの『資本論』が登場、古典派の市場原理主義＝流通主義を批判して価値形態、労働力商品化などを明示したが、宇野もすでに一九三六年和田佐一郎教授の代講として『経済学原論』を講義、そのプリントが残されている。それを見ると純粋資本主義の抽象、流通論、生産論、分配論の篇別構成など、「今日の宇野理論における経済原論の骨格が、明確にこの一九三六年の講義に示されていた。」（五八七頁）ドイツ留学以来、レーニン『帝国主義論』とともに熟読してきた『資本論』研究の成果に他ならない。[注2]②の段階論は、講座担当としての「経済政策論」の講義から生まれたことは言うまでもないが、それも先進国イギリスへの後進国ドイツの対抗的な競争政策ではない。ロシア革命後の現実からも、『資本論』とともにレーニン『帝国主義論』を念頭に、国家論を前提とする重商主義、自由主義、そして帝国主義の金融資本による資本蓄積の「型」、つまり先進国と後進国の政策の移行論ではなく、歴史的転換の型＝タイプ論だった。これもすでに一九三六年『経済政策論』上巻として刊行されていた。こうした①、②を前提として、さらに賢治も指摘していた東北の『農村経済』としての③現状分析が位置づけられ、三段階論の方法となった点が特に重要だろう。

（注１）すでに宇野『原論』は、英語版 Kozo Uno "Principles of Political Economy" HARVESTER PRESS,1980 が関根友彦訳で刊行されている。また、関根氏の "The Dialectic of CAPITAL" YUSHINDOU,1984 も参照されたい。

（注２）宇野『原論』は戦後、岩波書店から最初に刊行されたとされていたが、『著作集』刊行に際して、戦前のプリント版が発見され、ほぼその時点で『原論』が体系的にも形成されていたことが判明した。

経済学の目的が、世界経済とともに各国経済の「現状分析」にあることは言うまでもない。マルクス経済学なら、『資本論』を前提にして、日本経済の歴史的現状分析になり、戦前から戦後の「日本資本主義論争」でも、講座派が半封建的な絶対主義的な政策からコミンテルンの三二年テーゼにもとづき前近代的性格を重視した。労農派は対抗的に日本資本主義の後進性は容認するが、それは時間的な後進性に過ぎず、いずれは『資本論』の世界に接近するものとした。論争の課題も寄生地主制、高率小作料など農業問題が中心だった。こうした日本資本主義論争に対して、上述の理由から労農派を自認していた宇野弘蔵だが、「東京を中心とした論争」に対して、東北の地域から距離を置きながら見ていた。しかし「農業問題は、イギリスに後れて資本主義化した国々、ことに我が国のごとき後進国にとっては、政治活動に極めて重要な、基本的な関係を有するものになっている。いかなる政党もこの問題に対する一応の見識をもつことなくしては、その政治活動を展開することは出来ない。しかも農村自身を基礎とする独自の政党活動は、原則としてその根拠を有さないという事情と相俟って、農村はあらゆる政党の争奪の目標とならざるを得ない。」（八―九頁）すでに世界金融恐慌をはじめ、宮沢賢治たちの東北の「新たな農村経済」は、「東北救済」「東北振興」から「東北開発」としての国家目標となっていた。(注)そうした問題意識のもと「中央公論」一九三五年一一月号に「資本主義の成立と農村分解の過程」が掲載されたのだ。

（注）「東北開発」については、ここで特に立ち入らないが戦前一九三六年には、政府が東北振興として特別法に基づき「東北興業株式会社」を設立、東北地方の自然資源による二七業種、一一五社に及ぶ企業に投融資を行ってきた。戦後も「東北開発三法」のもと、北海道東北開発公庫、東北開発株式会社など、戦後復興・再建に一定の役割を果たした。その点については、岩本由輝『東北開発一二〇年』（刀水書房、一九九四年刊）などを参照のこと。

宇野弘蔵の場合、戦前は『資本論』研究を前提にして、主としてドイツの経済政策をめぐる論文は多いが、東北の『農村経済』など、日本経済の具体的な現状分析について直接に書いたものはなかった。その点で、上記「中央公論」の論稿が始めてだったし、日本資本主義論争についても「これらの見解の対立を検討し理解するに必要と考えられる予備的理論を明確にしておきたいと思うのである」（二二頁）と冒頭で断っている。という点で、むしろ現状分析の方法が提起されているし、それが日本経済においても「農村分解の過程」の方法的特徴に他ならない。宇野の現状分析論は、農業問題と極めて密接だし、日本資本主義論争をはじめとして、農業問題こそが現状分析の方法を、つまり原理論や段階論から区別された現状分析の三段階論の方法を生み出すことになった、というべきだろう。ただ論文が、日本資本主義論争に対する独自の方法を提起するための「予備的理論」にすぎないために、現状分析としての実証的内容は極めて不十分であることは止むを得ない。(注)そうした点を補う作業は、戦後の『農業問題序論』などで果たされることになるが、ここでは以下、予め方法的特徴だけを紹介する。

（注）宇野理論の現状分析を農業問題の分析とする点については、佐伯尚美「科学としての経済学」（『戦後日本の思想　第二巻　経済学』日高普編、一九六二年刊）を是非参照されたい。

先ず先進国イギリスの資本主義の発生と農村分解の過程は、『資本論』の資本の原始的蓄積過程の分析で明らかにされていた。初期の羊毛工業、確立期の木綿工業にしても、輸入品の拡大を通じて羊毛工業のエンクロージャーが行われたし、綿花の輸入による木綿工業が中心の産業革命だった。一八六一年、英国の「国勢調査」からも農業労働者約一〇〇万、繊維工業従業者六四万に対し潜在的過剰人口の僕婢が一二〇万もいて、それも婦女子の労働力が拡大していた。「機械的大工業と近代的農業とを両極とする典型的資本主義は、近代的プロレタリアを完成すると同時に他方では多数の僕婢と家内工業労働者とを包括するのであるが、それは種々なる形態の相対的過剰人口を基礎として成立するものであった。」（三三頁）その上での純粋資本主義の抽象による原理論の経済法則の解明だった点が重要である。

後進国ドイツも、たんに先進国を追う移行ではない。「一般に資本家的経営における労働者の吸収能力は前述のごとくその資本の構成のいかんによって決定される。――一九世紀の代表的産業たる綿工業は、それ自身その資本の構成が非常に高度であるというのではないが、――婦人少年を使用することができ、――さらにまた後進諸国はこれらの産業の機械化に際して、しばしば従来ほとんど独立の工業化していなかった部面に発展したのであって、――従来の需要量の生産に対して極めて少数の労働者をもって充分なのであって――農村の分解の不徹底はその制限として作用し、これらの産業の発展はかくして直ちに外国市場を必要とすることとなる。そして外国市場における競争能力は、むしろ結局その発展の程度に従ってまた労働者の吸収能力を制限するのである。」（三六―三七頁）先進国イギリスにしても、上記の羊毛工業により「農地が牧場に変わり」、確立期の産業革命の木綿工業もまた、輸入綿花による輸出産業として発展した。後進国ドイツも、石炭・鉄鋼の重化学工業が基幹産業だった。こうしたエネルギー資源を基礎とする産業構造の質的転換、それによる産業組織の変化、さらに労働力の質的変化による労使関係の形成こそが、経済政策の段階的発展だった。まさに段階的発展は、産業構造、産業組織、そして労使関係の型＝タイプの歴史的転換であり、そうした型＝タイプによる受け身の「農村分解」が生じた。そこで、以下のように宇野は結論する。「かくしてわが国のごとき後進国の資本主義の発展が、その出発点においては原始的蓄積の、その発展過程においては産業革命の過程を、著しく異った形態において経過するという事実は、まさに上述のごとき後進国に特有なる形態の極端なる表現に外ならないのである。それは一方においては資本主義の顕著なる発展を見ながら、他方においては旧社会形態の分解を比較的緩慢に実現してゆくことの必然性を示すのである。」

では、後進国ドイツよりさらに遅れた、二重の意味での後進日本資本主義の「特有なる形態の極端なる形態」の「農村分解」とは、どんなものか？　宇野の説明は、まだ「予備的理論」であり、方向性を示すだけで抽象的である。しかし「後進諸国が資本家的生産方法を採用した方法は、保護政策の背後に行われた株式制度を利用する資本の集中によってイギリス資本主義に追付くことにあった。この方法がもたらした資本主義は、しかしたちまちにして資本の形態そのものを変質せしめることになった。いわゆる金融資本は、産業的にはむしろこれらの後進国にとって、その資本主義確立の最も有力なる手段となったのであるが、———この新たなる資本形態は各国の資本主義勢力の各々の集中によって政治的には国民国家に新たなる中心点を形成するのであった。国家主義が新たなる内容をもって主張されねばならなかった。」（三九頁）ここでは、後進国ドイツの株式資本を利用した金融資本の発展を踏まえながら、二重の後進性の日本資本主義の発展が念頭にあると見るべきだろう。明治維新以来の国家主義的な資本蓄積、一九二九年世界金融恐慌、治安維持法下の三・一五事件、天皇制国家の軍事演習など、宮沢賢治たちが語った東北の「農村経済」の新たな現実が、宇野弘蔵の念頭にも強く、そして厳しく意識されていたと思う。結論的には「かくて後進国の資本主義の成立は、その必然的前提となるべき農村の分解を、一部的にはむしろその発展の結果として、種々なる形を通して、政策によってあるいは促進的に、あるいは停滞的に、一般的には慢性的過程として実現してゆく。勿論それぞれ特殊の国において、この過程自身は特殊の形態をとるのであるが、しかしそれは資本主義そのものが、おのおの特殊の法則によって発展するという意味にとってはならない。資本主義はイギリスにおいても、ロシア、ドイツにおいても、また日本においても同様なる発展の法則をもって発達するのであって、それが阻害され歪曲されるところに各国の特殊性があるに過ぎない。」（四一頁）

念のため繰り返すが、論稿の目的は日本資本主義論争に対する方法的な「予備的理論」の考察に過ぎなかった。しかし、すでに①『資本論』から純粋資本主義の「原理論」をまとめ「日本においても同様なる発展の法則」を否定できないこと、②後進国ドイツについても、金融資本の蓄積による農業問題の特殊性を強調して「段階論」の方法が提起されている。その上で③同じ後進国とはいえ、金融資本の段階でスタートした日本資本主義の農業問題が提起され、国家主義的な「東北救済」「東北振興」などによる統合の視点が強調されたのである。その限りでは、方法的「予備的理論」であるだけに、むしろ「原理論」「段階論」から区別された「現状分析」としての宇野・三段階の方法が事実上提示されており、新たな東北の「農村経済」への射程が切り拓かれた、といえるだろう。こうした三段階論の方法により、二重の意味での後進性を刻印された日本資本主義の東北「農村経済」の現実が分析され、いかに「貧しさからの解放」の道が提示されるのか？　しかし、不幸にも「本当の幸せ」を求めつづけた賢治が一九三三年九月に亡くなり、宇野弘蔵もまた一九三八年の労農派「教授グループ」事件に連座して検挙され、その後は東北大を辞職した。東北「農村経済」の具体的な現状分析は、戦後に残されることになってしまったのである。

## 3　戦後体制の崩壊と三段階論

戦後、上述の通り宇野弘蔵は、東北大学へは復帰せず、一九四七年に東京大学の社会科学研究所で社会科学の総合的な調査研究を目指すことになった。その事情には立ち入らないが、戦後独立した東北大学の経済学部でも、「農業政策論」はじめ集中講義などで協力している。戦前の法文学部の経験からすれば、すでに述べた通り社会科学や人文科学などの総合的・学際的な調査・研究に魅力を感じたたし、現状分析を進めたかったように聞いている。その点では、戦時中および戦争直後に日本貿易研究所や三菱経済研究所で、実際的な調査研究に従事した経験が大きかったように思われるし、それを継続する意味もあった。両研究所では、一九四五年から食糧問題など、日本経済の情勢分析（概観）を執筆しているが、さらに戦後を迎えた時点では、早々に「資本主義の組織化と民主主義」（『世界』一九四六年五月号）を筆頭に、「生産再開の論理」『評論』、「経済安定の概念」『評論』、「経済民主化と産業民主化」『新生』など、時論的な論稿も矢継ぎ早に発表された。その上で、東大の社会科学研究所に落ち着いた時点から、「所謂経済外強制について」（『思想』一九四七年二月号）をはじめ、農業問題を中心とする現状分析とともに、「労働力なる商品の特殊性について」（『唯物史観』一九四八年）などの『資本論』研究、『経済政策論』一九五四年の上梓による段階論、同時に経済学の方法論についての論稿が発表され、三段階論の方法のフレッシュアップ作業が続けられた。

とくに『農業問題序論』（一九四七年改造社）において、あらためて二重の意味での後進国・日本資本主義の農業問題の政治的重要性とともに、第一次大戦後の世界における慢性的農産物の過剰化とそれに続く二九年世界大恐慌が、農業問題を資本主義にとって解決困難な世界的問題として顕在化した点に注目する。したがって日本資本主義の農業問題も、世界的問題として、「世界経済論」として論じなければならない点が、ここでとくに強調されたのである。世界経済の問題から切り離して、たんに日本農業の特殊性から、農村の封建遺制や土地所有、小作料などの特殊性を想定し、それを固定化してしまう非科学的見地を批判している。一国の農業問題も、一国だけでなく「原理論」を基礎に、資本主義の世界史的段階規定を媒介に、しかもそれを「世界農業問題」として具体的に分析する方法的見地が提起されたのである。まさに三段階の方法だが、その点を戦後体制の具体的現実において分析を試みたのが「世界経済論の方法と目標」（一九五〇年『世界経済』）に他ならない。ここで農業問題が世界経済論として、それゆえに三段階論の方法では現状分析論として位置づけられることになった。しかも、たんに資本主義の農業問題だけでなく、新たに東西冷戦の戦後体制の中で、「社会主義」の問題としても提起された点が注目される。

純粋資本主義として抽象された『資本論』の世界では、自律的な資本主義の運動法則が解明されるだけで、「共同体と共同体との間に行われる商品交換の関係は勿論のこと、実際的には資本主義社会の成立の前提条件をなす国際的な商品交換をもその対象となすことは出来ない。――外国貿易を付随的な問題としてしか取扱っていないのは、そのためであるが」、さらに実際の資本主義の発展を取り巻く商品経済の発展も「資本主義の世界史的発展の歴史的規定が与えられないと、かかる関係の具体的分析をなすことは出来ないのである。」（三四六―七頁）世界経済論についても、原理論と段階論が前提され、各国資本主義の現状分析として位置付けられている。その限りでは、世界経済論は各国資本主義の集合体として、マルチラテラルな国際経済論として分析されることになろう。しかし、問題になるのは「前大戦後の農業問題は、一九世紀末の西欧諸国の農業問題とも、さらに遡って一八世紀末のイギリスの農業問題とも異って世界経済の問題となってきている」（三五五頁）と主張し、第一次大戦後の世界史的発展段階に伴う性格変化を提起した点だろう。

こうした農業問題の性格変化については、ここで深く立ちいらないが、宇野が戦時下に三菱経済研究所で従事した世界糖業の調査分析の経験などが大きかった。（注）もともと世界の砂糖産業は、一九世紀以来の植民地型プランテーション農業（キューバ、ジャワ、オーストラリア、ハワイ等）だったが、一九二〇年代に大きな構造変化が起こる。一つには、旧来の蔗糖生産の規模拡大であり、第二にはヨーロッパ諸国での甜菜糖生産が勃興し、国家的保護措置による急速なシェア拡大である。その結果、世界的な砂糖供給の過剰、価格の急低下、過剰在庫などの糖業危機をもたらした。それに対し、ドイツなど国内甜菜業の国家統制、さらに国際協定による世界市場の組織化で対応しょうとした。要するに、かつてイギリスのごとく外部に押し出される傾向をもった農業が、第一次大戦後再び国内自給を上昇させる方向へ逆転すること、国際的な農産物過剰と農業の国内保護が密接に関連すること、世界的農業恐慌が植民地体制を大きく揺るがせていること、などの構造変化が砂糖産業の調査分析から明らかにされたのである。こうした調査分析から、世界経済論の問題として提起され、それが戦後三段階論の方法、とくに「世界経済論の焦点としての世界農業問題」として提起されることになった。

（注）これらの点についても、前掲の佐伯尚美「科学としての経済学」を是非参照されたい。

戦後、国際経済関係が極めて複雑で、かつ緊密になったが、「世界経済の分析が一国の資本主義の分析と異なった実践的要求に基づいていることからも、それは当然に予想されることである。そこで世界経済の問題は二つの観点を区別することを要請することになる。例えば先の国際連盟やコミンテルンの実践的要求に基づく世界経済の分析のように、世界的政治活動の物質的基礎を明らかにするという目的に役立つ分析と、一国の経済が国際経済から受ける影響に主眼を置いて、その分析をなす場合とである。」（三五〇—五一頁）二つのうち、「後者は寧ろ一国の資本主義分析に付随的なるものに過ぎない」が、両者の区別がとくに重要であり、「前大戦後の大恐慌以後、いわゆる経済構造論が問題とせられ、——私は大体こういう見地から世界構造論も、その焦点を明らかにしなければならぬものと考えるのである。そしてそれは世界農業問題にあるのではないかと考えるのである。」（三五一頁）この重要な設問に対する宇野の回答はすこぶる難解だが、凡そ以下のように説明されている。

農業は元来、工業のようには資本主義的生産に適合できない分野であり、資本主義は一時的、部分的にはともかく、これを外部に押し出す形で解決しょうとするが、それは根本的解決ではなかった。押し出された農業が、食糧問題として世界的関連のもとで農産物の過剰問題を引き起こし、いわゆる農業恐慌として、各国に反作用をもたらすからである。こうした農業恐慌は、資本主義の矛盾の「外的表現」であり、世界資本主義の構造問題に他ならない。いいかえれば「前大戦後の世界農業問題は、各国におけるかかる現実的解決の根本的解決でないことを示すものにほかならない。それと同時に資本主義に必然的なる一般的恐慌現象と農業恐慌とは、漸次に接近し融合して、世界資本主義の構造問題として、資本主義の矛盾の総合的表現をなすに至ったのであった。」(三五三頁) ここで、上述の東北の「農村経済」が提起されるわけだが、「一般的恐慌現象は、労働力商品化の矛盾を基礎として、資本主義経済自身の内部矛盾として必然化するのに対し、農業恐慌は資本主義的生産方法が農業を資本主義的に処理し得ないという外部的な原因に基づくものである。」(同頁) 両者が結合する点に、世界経済論としての世界農業問題の提起があったといえよう。

「かくして世界経済論は社会主義にとっても重要な課題となって来る。それは一方では資本主義の内部矛盾をなす階級対立を、他方ではその外的矛盾をなす農業問題を、ともに解決し得るのでなければ、新たなる社会を担当し得るものとはならないからである。」(同頁)「世界経済論における農業問題は、なおその解決を個々の国々の社会主義的解決にゆだねた形になっているといってもよいであろう」として、世界農業問題がたんなる「世界貿易問題」のレベルにとどまり、世界経済論の焦点にならないまま、「逆に国家主義的な傾向を強化して来た点を考えるとき、それが決して容易に国民経済として一体化してきた資本主義社会のような統一体をなすものでないことは明らかである。」(三五四頁) 世界農業問題の解決を、階級対立の解決とともに、資本主義から社会主義への世界史的転換の課題として提起したのだが、こうした問題意識の前提には、前大戦以降とくにロシア革命によるソ連邦への前向きな評価が前提されている。「第一次大戦後の資本主義の発展は、それによって資本主義の段階論的規定を与えられるものとしてではなく、社会主義に対する資本主義として、いいかえれば世界経済論としての現状分析の対象をなすものとしなければならない」（七―二四八頁）この指摘は、戦後になって『経済政策論』が一九五四年に上梓されたが、その改訂版（七一年）に加筆された部分である。戦前の上巻にレーニン『帝国主義論』の積極的評価に基づき、帝国主義段階の金融資本の蓄積を加えて『経済政策論』を完結させたが、その改訂版に「補記―第一次世界大戦後の資本主義の発展について―」を加えて、ロシア革命によるソ連邦の成立、そして東西冷戦の戦後体制を踏まえて、資本主義から社会主義への過渡期が明記されたのである。こうした『経済政策論』の処理については、いうまでもなく一九五〇年に上記「世界経済論の方法と目標」を書き、その後の戦後体制の定着を見定めての宇野なりの判断といえるだろう。しかしながら、一九八七年の「レーニン共産主義記念チェルノブイリ原子力発電所」の事故などもあり、「労兵ソヴィエトと全国の電化」をスローガンとしたロシア革命によるソ連型社会主義は、一九九一年にまことに呆気なく全面的に崩壊してしまったのだ。(注)

（注）『経済政策論』の「補記」とソ連崩壊との関連については、拙稿「現代資本主義の焦点―ソ連・東欧体制の崩壊と宇野三段階論―」（馬渡尚憲編『現代の資本主義・構造と動態』御茶の水書房　一九九二年刊）を是非参照のこと。

このソ連崩壊は、東西冷戦構造の戦後体制の崩壊であり、ロシア革命によるソ連型社会主義の破綻であり、さらにドグマと化したマルクス・レーニン主義の歴史的否定だったが、それだけではない。戦後一九五〇年「世界経済論の方法と目標」を書き、わざわざ『経済政策論』の改定版に「補記—第一次世界大戦後の資本主義の発展について—」を加えて、戦後体制を資本主義から社会主義への世界史的転換の過渡期とする、その意味で世界経済論、世界農業問題を三段階論の現状分析として位置付けた、宇野・三段階論の経済学方法論の再検討が提起されたことにもなると思う。宇野弘蔵は、いうまでもなく『資本論』、『帝国主義論』への様々な疑問とともに、スターリン論文への大胆、かつ厳しい批判を加えていた。にもかかわらずソ連社会主義そのものに対しては、それを肯定し擁護すら惜しまなかったように思う。向坂逸郎などとともに、世代的とも言えるイデオロギー的シンパシーの念を抱きながら、一九七七年二月二二日七九歳で宇野も他界した。ソ連の歴史的崩壊を待たずに、そして三段階の方法的再検討の課題を残したままの死去だった。いま宇野は、賢治とともに何を思い、何を考えているのか？(注)

(注)　宇野の旧ソ連に対するイデオロギー的シンパシーには、レーニン『帝国主義論』に対する評価があるように思われる。もちろん『帝国主義論』の方法については、根本的な批判を提起していたが（『資本論と社会主義』など参照）、段階的特徴づけについては、肯定的に受け止めていた面が強い。それに反して宮沢賢治は、レーニン『国家と革命』について厳しい批判を加えていた。前掲の杉浦　静「宮沢賢治と労農党」にも引用されているが、盛岡の研究会での賢治を回想して川村尚三は語っている。「その頃（昭和二年春頃）、レーニンの『国家と革命』を教えてくれ、と言われ私なりに一時間くらい話をすれば、〈こんどは俺がやる〉

と交換に土壌学を賢治から教わったものだった。（中略）夏から秋にかけて読んで、ひと区切りしたある夜おそく〈どうもありがとう、ところで講義してもらったが、これはダメですね、日本に限ってこの思想による革命はおこらない〉と断定的に言い、〈仏教にかえる〉と翌夜からうちわ太鼓で町をまわった」『国家と革命』と「土壌学」の交換講義は面白い話だが、賢治のレーニン批判は鋭い。天才的な勘の良さを感じる。

# 第７章

# コミュニタリアニズムと宇野・三段階論

## 1　原理論における「経済法則」と「経済原則」

一八七〇年代、「晩期マルクス」の思想遍歴の中で、後述の「補章」でも見るとおりパリ・コンミュンや共同体研究の高まりなどにより、マルクス主義とコミュニタリアニズム・共同体社会主義との接点が浮かび上がってきていた。一方、パリ・コンミュンを通して、とくにエンゲルスは「プロレタリア独裁」の見地を提起し、さらにロシア革命の成功によって、マルクス・レーニン主義の思想的ヘゲモニーが確立した。しかし、ソ連崩壊によって、プロレタリア独裁など、マルクス・レーニン主義の教条は呆気なく喪失してしまった。こうした『資本論』以後のマルクス主義をめぐっての情況変化は、中国による「社会主義市場経済」の今後の動向いかんにより、さらに大きく変動する可能性も大きい。習近平が戦前、東北大学にも留学した文豪・魯迅の言葉で解説したといわれる「中国の特色ある社会主義」とマルクス主義の関連が厳しく問われるだろう。今ここで、その可能性について立ちることは出来ない。問題提起だけに止める。

ここで補足的に整理しておきたいのは、宇野理論の三段階論と晩期マルクスのコミュニタリアニズムとの関連である。宇野理論としては、とくにコミュニタリアニズムについて立ち入った検討がなされているわけではない。さらに言えば、宇野氏自身の研究の経過を振り返っても、『社会主義』のタイトルで刊行され、当時すでに宮沢賢治はじめ多くの読者を得ていたW・モリスなどの理論や思想については、特別の言及や具体的検討は見当たらない。ただ、同じ労農派であり、かつ大原社会問題研究所の関係で東北大学への赴任など親交の厚かった森戸辰男氏との関係では、少なからぬ関心を寄せていたことは間違いないだろう。しかし、とくに具体的な研究業績は見当たらないし、関連した講演なども聞かない。したがって、宇野の『資本論』研究との関連の中から、コミュニタリアニズムへのアプローチを探る他ないが、その点で手掛かりにしなければならないのは、いうまでもなく三段階論のうちの「原理論」であり、宇野の『資本論』研究そのものである。とくに初期マルクス・エンゲルスの唯物史観と『資本論』との関連であって、純粋資本主義の歴史的・現実的抽象による資本主義の自律的運動法則の原理論と歴史的な「所有法則の転変」との関連に他ならない。

「補章」でも明らかにするが、初期マルクス・エンゲルスの唯物史観は、後の『資本論』研究からみればイデオロギー的作業仮設であり、「導きの糸」に過ぎなかった。もし仮説が、科学的理論研究により「論証」されず、イデオロギー的仮設のまま主張され続ければ、それは「科学的社会主義」ではなく、それとは似て非なる「社会主義的科学」のイデオロギーに過ぎなくなる。宇野は「社会主義的科学」にとどまった『経済学批判』などに対し、『資本論』の価値形態論をはじめ、商品・貨幣・資本を流通形態として純化し、とくに商品を単なる労働生産物に還元して、流通主義イデオロギーに陥ったA・スミスなどの労働価値説とともに、『資本論』冒頭の労働価値説の論証を鋭く批判した。さらに、労働価値説に結びついていた単純商品生産社会の所有論的アプローチにも批判の矢を向けた。(注)自己の私的労働に基づく私的・個人的所有、その否定である社会的労働に基づく私的・ブルジョア的所有、さらにその否定である社会的労働に基づく社会的・公共的所有の「所有法則の転変」を、宇野「原理論」は厳しく批判したのである。こうした批判は、後期マルクスの『資本論』そのものにも向けられ、「科学的社会主義」の基礎づけとなった。宇野理論の真髄は、単なる価値形態や労働力の商品化の強調だけではない。唯物史観のイデオロギーに他ならぬ「所有法則の転変」の全面的否定だった。

（注）宇野による『資本論』冒頭の労働価値説批判は、スミスの労働＝「本源的購買貨幣」の流通主義批判であり、商品経済的富を「労働生産物」に還元、非労働生産物の労働力だけでなく、土地・自然をも排除されていた。宇野の冒頭商品論は、「労働生産物」ではないが、「資本の生産物」に限定し、一方で価値形態論を重視しながら、スミスや『資本論』とともに、労働力や土地・自然を除外している。そのため「貨幣の資本への転化」「地代論」に難点が生ずるだけでなく、土地・自然に結びつく「共同体」の位置づけ、さらには「人間と自然の物質代謝」との関連も、不明確になっているように思われる。別稿を準備したい。

とすれば、W・モリスがバックスとともに、価値形態論や労働力商品化論を強調する『資本論』の紹介にとどまらず、共著『社会主義』において、遠慮がちな「注記」に過ぎない形だったにせよ、「所有法則の転変」の否定に踏み込んだ点は、まさに宇野理論の「科学的社会主義」の根拠を共有したことになろう。また、単なる所有論的アプローチを抜け出た点でも、宇野「原理論」はコミュニタリアニズムに大きく接近したといえる。ただ、宇野は唯物史観の残滓とも言える「所有法則の転変」を否定し、いわゆる「窮乏化法則」などのドグマを排除したが、モリスなどに特に関節しなかったことにもよるだろうが、「共同体」の位置づけなど、コミュニタリアニズムについて積極的に踏み込んではいない。価値形態論を強調し、労働力の商品化の矛盾を、資本主義経済の「基本矛盾」として設定した上で、社会主義の目標についても、宇野は「労働力商品化の止揚」を強調した。しかし、それがコミュニタリアニズムに結びつく点には一切触れることなく、超然と「南無阿弥陀仏」としていたのであり、そうしたイデオロギー的禁欲を続けたままだった。そこにはソ連体制の擁護、「マルクス・レーニン主義」へのイデオロギー的な支持の情があったかも知れない。

しかし、宇野の「原理論」では、純粋資本主義の抽象による資本主義の運動法則について、「経済法則」とともに、それを裏付ける超歴史的・歴史貫通的な「経済原則」が明示されている。(注) 価値法則にしても、市場原理に基づく価格変動を通して実現され、商品・貨幣・資本の流通形態こそ「経済法則」の実現形態である。しかし、価格変動が一定の基準をもち、「絶えざる変動の平均法則」として実現されるのは、法則の「形態」に対して労働「実体」が機能し、労働の社会的配分を充足しなければならない。資本主義経済が自律的運動法則を実現する、その根拠となるのは社会的労働配分であり、「経済原則」である。宇野は〈『資本論』と社会主義〉に関連して、「経済法則」に対する「経済原則」の主体的・目的意識的、そして組織的実現が社会主義の目標であり、そこに「労働力の商品化」の止揚となる「南無阿弥陀仏」の具現化を語っている。さらに労働について言えば、モリス「Art is man's expression of his joy in labor」、賢治「芸術をもてあの灰色の労働を燃せ」が目的意識化の労働実体となるはずであろう。

（注）経済法則に対して、「経済原則」の用語であるが、宇野は戦後になって、具体的には岩波全書『経済原論』

になって、タームとして使用している。（同書、四頁参照）資本主義経済に特有な法則としての価値法則や剰余価値法則に対し、超歴史的。歴史貫通的な「経済の原則」である。それまでは「経済生活の一般的規定」など、マルクスやモリスなども曖昧な表現を使っているが、労働力の商品化の止揚については、「経済原則」の明確化がとくに重要である。

さらに「労働力の再生産」についても、直接的生産過程の剰余価値生産の法則性を前提にして、「経済原則」の点では、『資本論』第二巻「資本の流通過程」の「可変資本の回転」に関連する。つまり、資本の回転に対して「労働力A―貨幣賃金G―生活資料W」の単純流通が導かれる。この単純流通こそ、労働力が自己の再生産に必要な生活資料を資本から買戻す形式に他ならない。そこに宇野もまた、労働価値説の根拠を求めた。労働力による「生産」と家計による「消費」のいわゆる経済循環であるが、「経済原則」としては労働力の再生産は、家庭で家族と共に生活し再生産される。そこにはatomicな「経済人」ではなく、ゲマインシャフトの集団である「家庭・家族」があり、そこに「共同体」の基礎が置かれるし、地域共同体の形成にもつながる。こうした労働力の社会的再生産により、資本主義経済の自律的再生産が基礎づけられるとすれば、ここに歴史貫通的な「経済原則」を見ることができるだろう。マルクスも一八七〇年代に入って『資本論』第二巻の原稿を書いたため説明は不十分だし、宇野の『資本論』研究もまた、晩期マルクスまで十分に踏み込んでいないし、「経済原則」もそこまでは触れていない。(注)しかし「原理論」としては、労働力の再生産は不可欠な内容だし、そこにまた共同体に基づくコミュニタリアニズムとの接点を見ることができると思う。そこに踏み込んでこそ、宇野「原理論」も完成するのではないか？

（注）すでに紹介の通り、労働力商品の特殊性と「可変資本の回転」については、戦後初期の「労働力なる商品の特殊性について」（『唯物史観』二号、一九四八年四月）で提起され、とくに労働力商品の単純流通と資本流通との関連が指摘された。しかし、労働力の社会的再生産と「共同体」との関連などにはとくに踏み込んでいない。しかし、労働力の社会的再生産、その単純流通による経済循環の視点から、「共同体」そして土地・自然への視座が提起された点が重要であろう。

## 2 段階論におけるレーニン『帝国主義論』の批判的継承

純粋資本主義の抽象による原理論の位置づけから生ずることだが、宇野・三段階論としては、原理論の次に資本主義の世界史的発展段階の解明が必要である。宇野・三段階論の「段階論」であり、「原理論」が資本主義経済の自律的な運動法則の解明だったのに対し、段階論は歴史的な段階的変化を解明する。とくに宇野「段階論」は、戦前の東北大での担当講座が「経済政策論」だったことから、広く経済政策全体の歴史的・段階的変化として解明されることになった。普通、大学の講座編成としては、工業政策、農業政策（農政学）、商業政策、社会政策など、分野ごとに講座が分かれている。しかし、すでに述べたが法文学部だったこと、また東北大が全体として「理科大学」で文科系が弱かったことなど、東北大学の特殊事情として、経済政策論にまとめられたらしい。講座編成の是非は別にして、宇野「段階論」の形成にとっては、むしろ好都合だったように思われる。なぜなら。経済政策を全体的・総括的に取りまとめ、資本主義の歴史的段階的変化を追うことが出来るからである。いずれにせよ段階論は、宇野による大学の講座担当から生まれたと言っていい。

原理論の純粋資本主義論としての抽象が明確になれば、その原理論と現状分析との間に、論理と歴史の関係から言っても、中間的な歴史の発展段階論が必要不可欠になる。論理と歴史の統一のドグマのもとに、純粋資本主義の抽象を否定したり、曖昧にしたりすれば別問題だが、純粋資本主義の原理論の抽象が明確であれば、方法的に「段階論」の次元が不可欠になる。宇野が担当講座の「経済政策論」とともに、終始『資本論』研究を引き離さずに、それを純粋資本主義の原理論としてまとめ、わずか一年間だが「経済原論」を代講し、原理論を取りまとめていた。表の「経済政策論」が段階論、裏の「経済原論」が原理論として、三段階論の方法が戦前の東北・仙台で構築されたといえるだろう。その点で、宇野の『資本論』研究、純粋資本主義の抽象の意義は重要だし、それを否定すれば宇野理論の三段階の方法は崩れてしまう。(注)さらに宇野の『資本論』研究は、戦前のドイツ留学に遡るが、ベルリンでのレーニン『帝国主義論』の読解とも関連していた。その点では、一方の『資本論』、他方の『帝国主義論』が、原理論と段階論の方法構築の大きな契機だったように思われる。

（注）宇野三段階論への批判として、上記の「原理論」「段階論」の区分を、いわば統合する「世界資本主義」論の立場がある。「原理論」の純粋資本主義の抽象を否定し、三段階論を解体するものだが、代表する岩田弘『世界資本主義』（未来社刊一九六四）にしても、世界資本主義の「内面化」と称する「原理論」の内容は、宇野・原理論とほとんど変わりがない（五味編『岩田弘遺稿集』批評社刊二〇一五、参照）。また、「世界資本主義」論の影響を受けたと言われる柄谷行人『トランスクリティーク』（批評空間、二〇〇一年刊）の「資本＝ネーション＝国家」のテーゼにしても、「資本」は宇野『原理論』の商品・貨幣に続く流通形態としての資本だろうが、それが成立する「世界市場」（国際市場、グローバル市場でもいいが）は概念化できるが、そもそも「世界資本主義」（「グローバル資本主義」も同様）は概念化できない。また、「ネーション」の nation-state は「国民国家」だろうが、そもそも近代国家として「世界国家」は実在しないし、概念化もされない。言葉だけの議論ではなかろうか。なお、「グローバル資本主義」と基軸通貨ドル危機との関連

などについては、最近の拙稿「ＭＭＴ（現代貨幣理論）の危うさ」（季刊「フラタニティ」No.16、二〇一九年一一月）を参照のこと。

ここでレーニン『帝国主義論』に立ち入ることは出来ないが、宇野による『帝国主義論』に対する評価はかなり高い。マルクス・レーニン主義のイデオロギー的容認ともつながるだろうが、しかし宇野といえども『帝国主義論』の方法的見地まで、レーニンを容認していたわけでは決してない。レーニンの『帝国主義論』も、『資本論』の資本蓄積論の直接的な延長として、資本蓄積が資本の自由競争から寡占・独占を生み、それが信用の拡大とともに金融の組織化、そして金融資本の発展をもたらすとしていた。その点でヒルファディングの『金融資本論』は、『資本論』の貨幣や資本の流通過程から直接的に金融資本を説くという点で、レーニンの方法とアプローチの違いはあるものの、『資本論』の論理の直接的延長として金融資本を説く方法は両者全く同じである。『資本論』を純粋資本主義の抽象による自律的運動法則として、方法的に前提しない限り、レーニンもヒルファーディングも同じ「マルクス・レーニン主義」のドグマの虜であり、レーニンだけを評価できないだろう。

さらに段階論は、経済政策の主体としても国家論だが、すでに紹介した「これはダメですね、日本に限って、この思想による革命はおこらない」と、宮沢賢治をして直感的に断言させたレーニンの『国家と革命』こそ問題だろう。すでに別の機会に述べたが、『国家と革命』の内容は、マルクス・レーニン主義と呼ぶより、エンゲルスの「プロレタリア独裁」論の教条的な主張であり、正しくエンゲルス・レーニン主義である。(注)その国家論は「階級支配の道具論」に過ぎず、金融資本の段階的特徴など、殆んど視野に入ることなく、プロレタリア独裁による権力奪取がくり返し強調されるだけに終わっている。段階論としての国家論の意義は殆ど提起されることなく終わっているだけに、『国家と革命』の国家論との関連でも、レーニン『帝国主義論』の方法は厳しく批判されなければならない。

（注）レーニン『国家と革命』については、一八四八年革命との関係で『共産党宣言』との関連が大きいが、それらについては拙稿「共産主義から共同体社会主義へ：脱マルクス・エンゲルス『共産党宣言』」（村岡到編『社会主義像の新探求』ブックレットロゴスNo.15　二〇一九年所収）を是非参照されたい。

しかし宇野の場合、『帝国主義論』の方法論はともかく、独占体の分析などを中心に、金融資本の組織性の具体的分析については、それを高く評価する。方法は否定するが、金融資本の具体的分析は評価する。その点でレーニンのイデオロギー的評価にもつながるのだが、それはさらにロシア革命とソ連型社会主義のイデオロギー的擁護にも通ずる。しかしポスト冷戦の今日、すでにソ連の崩壊は決定的だし、マルクス・レーニン主義の教条の時代も終わった。あらためてレーニンの客観的評価、特に『帝国主義論』の批判的検討が必要ではないか？　レーニンとともに、ドイツ型金融資本を積極的に重視することによって、例えばアメリカ金融資本の評価など、段階論研究の混乱を無視できないと思う。とくに両大戦の戦間期、および戦後期におけるアメリカ金融資本の役割、ドルを基軸とした金融市場の動向など、段階論として軽視できないだろう。

宇野・段階論も、「経済政策」を中心に、資本主義の世界史的発展を段階的に追跡する。産業資本段階の発展を代表した先進国イギリスに対して、確かに一九世紀末から後進国ドイツの金融資本の発展が顕著であり、そこに資本主義の発展の「歴史の逆転」を見る。さらにまた純粋資本主義の抽象による「原理論」と「段階論」を区別する歴史的根拠も、そこにあるだろう。しかし「段階論」は、先進国と後進国の競争論、移行論ではないし、世界市場における競争論は、地域統合など国際間の組織的な政策に結びついた「現状分析論」として具体的に分析されるのではないか？ そうした先進国と後進国の組織的競争を配慮して、宇野の「段階論」は、発展段階を代表する「経済政策」とその資本蓄積の型＝タイプを重視する。だからこそ「移行論」ではなく「型＝タイプ論」なのであり、その点から言えば「産業組織論」として、①基礎的エネルギーに基づく支配的な産業構造、②基軸となる資本の蓄積様式と下請け・サプライチェーンなどを含む金融資本の産業組織、③労働力の質的変化を含む労使関係の変化、等であろう。とくに宇野が戦後、上述の「世界経済論の方法と目標」（『世界経済』一九五〇）として提起した「世界農業問題」を含めて、こうした型＝タイプを基準にして、国際競争における先進国と後進国の競争や国際関係の変化など、現状分析として解明されるだろう。

もちろん、レーニン『帝国主義論』の段階論としての意義は小さくない。経済政策としての「帝国主義」的発展、金融資本としての独占体の役割など、ヒルファディング『金融資本論』と並んで、レーニンの実証分析の意義を高く評価すべきだと思う。その点で、宇野『経済政策論』の段階論の果たした役割も大きかった。しかし、上記の通り『資本論』との関連では、その直線的上向として独占体による金融資本を展開しているのであり、そうした方法論による歴史的移行論への偏り、金融資本の「型＝タイプ」の評価などに問題が生じ、そのため段階論として宇野理論の内部でも意見の対立が続いている。その点では、段階論としてもマルクス・レーニン主義のドグマに囚われず、レーニン『帝国主義論』の批判的継承の徹底化が必要だろう。

## 3　現状分析における「世界農業問題」

宇野・三段階論として、とくに問題にしなければならないのは、原理論、段階論に続く第三の現状分析論である。原理論、段階論と進み、各国資本主義の分析と世界経済が残余の領域として遺されるわけで、それが現状分析に他ならない。その限りでは、すでに紹介したとおり「世界経済論は各国資本主義の現状分析の集合体として、マルチラテラルな国際経済論」として分析される。最近では、中国の台頭・発展などアジア地域の成長が著しく、「パックス・アシアーナの到来」なども称揚されている。こうした世界経済論が宇野三段階論の現状分析論であり、その点では方法論的に問題はないと思う。しかし宇野は、戦後になり「世界経済論の方法と目標」において、段階論とともに現状分析論にもう一つ新たな問題領域を設定した。『農業問題序論』（一九四七年『著作集』第八巻）、「世界経済論の方法と目標」（『世界経済』一九五〇年七月）で提起された「世界農業問題」であり、それがロシア革命以来、そして戦後冷戦体制の中で、その地位を固めてきたソ連を中心とする社会主義への過渡期の課題として提起されたのだ。しかし、すでにソ連は崩壊した。マルクス・レーニン主義の支配も終わり、宇野が提起した過渡期の問題は再検討せざるを得ないのは当然だろう。現状分析論としての重要な論点が、あらためて提起されているのである。

宇野理論にとって、資本主義の基本矛盾は労働力の商品化であり、労働力商品の特殊性である。労働力は人間の能力であり、資本によって生産されない。同じように資本により生産されない生産手段に土地・

自然（エネルギーを含む）があり、労働力とともに資本にとって基本的な矛盾であろう。労働力も土地・自然も、労働生産物として資本により生産・再生産されないけれども、しかし商品取引として商品形態・価値形態が与えられる。労働市場や不動産市場を通して大量に取引され、いずれも資本に包摂される。資本主義経済は、労働力商品を基礎に自律的運動法則を展開し、「原理論」の世界が形成される。「原理論」の世界で労働力商品は、いわゆる資本主義的「人口法則」で処理されるが、土地・自然は『資本論』第三巻の地代論で解決・処理され、純粋資本主義の経済法則が貫徹される。しかし、この解決・処理は「原理論」のレベルの話であって、資本主義の歴史的発展としては、労働力もいわゆる「労使関係」とともに、相対的過剰人口の存在など、一定の制約を与えられる。では、土地・自然はどうなのか？

一九世紀中葉、イギリスが資本主義の先進国として確立するについても、産業革命による「世界の工場」としての発展だった。原料の綿花までアメリカやインドから輸入する綿工業が基幹産業であり、産業構造として「大陸諸国を農業国とすること」による発展であった。この時点では、工業国と農業国の国際分業が形成され、恐らくそうした発展を念頭に置いて、D・リカードの比較生産費説(注)の提起もあったのであろう。産業資本の蓄積による自由主義段階であったが、それも産業構造の重化学工業化により、一九世紀末から金融資本によって、農業問題もまた「世界的に植民地的農業国」から供給され、補充されることになる。こうして産業構造の段階論的変化により、世界農業問題として土地・自然の矛盾を「外部に押しやることによって片づけられてきたのである。」労働力商品化の矛盾は、資本主義の内部矛盾として周期的恐慌を含む景気循環として処理してきたのに対し、土地・自然の矛盾は「その外的矛盾をなす農業問題」として、段階論から現状分析の世界農業問題として処理されてきた。こうした農業問題の「世界農業問題」としての外部化により、先進国にとっては、農産物の海外からの輸入問題として、農業問題は「食糧問題」に転化したのであろう。宇野の世界農業問題の処理についての説明は含蓄に富み、すこぶる難解だが、およそ以上のように原理論の地代論から、段階論、現状分析論への展開をなしているように思われる。

（注）『資本論』との関係で、リカードの比較生産費説は、いわゆる国際価値論として議論されているが、国際分業論として理論的意義を検討すべきであろう。

すでに紹介したので繰り返さないが、工業を中心とする資本主義の発展が、農業を外部に押し出すような形で解決しょうとしたが、それでは解決にならなかった。農産物の食糧の過剰問題によって、いわゆる農業恐慌を引き起こし、それは「資本主義の矛盾の外的表現」であり、さらに「一般的恐慌と農業恐慌とは、漸次に接近して融合して、世界資本主義の構造問題」「資本主義の矛盾の総合的表現」となった。資本主義のいわゆる「全般的危機」論だろうが、資本主義から社会主義への世界史的転換の課題として提起されることになった。資本主義として解決できなかった問題を、ソ連社会主義が解決する、宇野のイデオロギー的期待だったかと思う。しかし、一九七七年の宇野の死後、わずか一〇年余で期待のソ連も一九九一年に呆気なく崩壊、宇野のイデオロギー的期待も頓挫して終わったのだ。ソ連崩壊によるポスト冷戦、アメリカの一極支配の構造による世界経済は、リーマンショックの世界金融恐慌を経験しながら、全般的危機の解決はできないまま、「グローバリズム」から「アメリカ第一」のトランプ政権による戦後体制の崩壊が進んでいる。米・中覇権戦争も、コロナ危機もまた、こうした全般的危機の現れであろう。

全般的危機の深化を前にして、マルクス・レーニン主義の破綻に対し、我々は一八七〇年代の「晩期マルクス」が、初期マルクス・エンゲルスの唯物史観のイデオロギー的仮説を超えて、『資本論』の世界からコミュニタリアニズム・共同体社会主義への接点を求めていたことを確認した。『資本論』の世界から明らかにされる「経済原則」、超歴史的・歴史貫通的な「経済原則」として、労働力商品化の止揚と並んで、「太古からの」農村共同体が提起され、ロシアのナロードニキ、メンシェビキの女性理論家ザスリッチへの返書をマルクスは補強していた。(注)七〇年代の共同体研究の高揚により、次第に「世界農業問題」として提起されようとしている世界経済の構造問題への視座を、マルクスも先取りしようとしたとも言える。いうまでもなく地域共同体こそ、土地・自然と結びつき、農村・農業・農民問題の根底にあるからである。今、戦後体制が崩壊する中で、農業問題・食糧問題が依然として深刻であることは強調するまでもない。また米・中覇権戦争でも明らかだが、エネルギー問題とも関連し、地球温暖化による自然・環境破壊問題としても拡大・発展している点が重要だろう。宇野が現状分析として提起した「世界農業問題」は、食糧問題とともに、さらに地球レベルの環境問題として地球温暖化など、改めてコミュニタリアニズムに厳しく提起されているのである。

（注）「晩期マルクス」によるコミュニタリアニズムについては、差し当たり拙稿「晩期マルクスとコミュニタリアニズム：マルクスとE・B・バックスとの接点」（村岡編『マルクスの業績と限界─マルクス生誕

二〇〇年』ブックレットロゴスNo.13 二〇一八年）さらに拙著『ウイリアム・モリスのマルクス主義』（平凡社新書、二〇一二年）などを参照されたい。

『資本論』を継承し、宇野が提起した労働力商品の特殊性にもとづく資本主義の基本矛盾は拡大した。日本経済の高度成長実現の末に、いまや少子高齢化のもと、東北農村ですら「外国人出稼ぎ労働力」の利用に追い込まれて仕舞った。明治以来、東北は慢性的過剰人口のプールとして、軍事力を含む労働力を大量利用され続けてきた。戦後日本の年功序列・終身雇用・企業別組合による高度成長も、農村からの「金の卵、ダイヤモンド」の若年低賃金労働力とともに、中高年出稼ぎ労働力利用により実現した。今や高度成長は終わり、農村の過疎地帯は「外国人出稼ぎ労働力」の就労の場に変わったまま、日本農業の終幕を迎えようとしている。では、労働力商品の矛盾と表裏の関係の土地・自然に基づく矛盾はどうか？

東北農村の過疎の苦しみを狙ったように、沿海部「浜通り」に東北電力ではなく、他ならぬ「東京電力」が、福島原子力発電所を開発し、「原発国家」日本は幕を開いた。しかし、二〇一一年の三・一一東日本大震災による原発事故は、広範囲に及ぶ放射能汚染による農水産業の被害が拡大、すでに棄村・廃村の危機に追い込まれている。その絶望的な被害状況について、これ以上書く必要はない。続く台風による風水害の拡大も、その原因を何処まで「地球温暖化」にするかは別にして、多くが農水産業の損害に集約されている。食糧危機を、人類滅亡の危機に結びつける議論について、それを誇大妄想として片づけられなくなっている。工業化社会を前提とする資本主義の経済が、今や「人間と自然との物質代謝」との矛盾に逢着したとすれば、それは労働力商品化と並ぶ、「逆境の資本主義」であり、資本主義の基本矛盾だろう。我々はいま、宮沢賢治とともに宇野弘蔵が共有した、「東北の新たな農村経済」の実相に立ち戻り、その上で「世界農業問題」の現実から学び取ることの重要性を最後に確認しておこう。

# 第８章

## 晩期マルクスとコミュニタリアニズム

### ——W・モリス／E・バックスの『社会主義』との接点

# はじめに

二〇一八年はマルクス生誕二〇〇年だが、彼の生と死は、生れが一八一八年で、五月五日の端午の節句、それも寅年だそうである。死は一八八三年三月一四日、六四歳で亡くなった。『資本論』以後、最晩年のマルクス主義は、何処へ行こうとしていたのか？　それを確かめるために、マルクスの生から死へ、マルクス主義の変遷を辿ってみよう。マルクスが求めたものを、求めて。

## 1　初期マルクス・エンゲルスの唯物史観

マルクスの誕生については、謎めいた話がある。両親ともユダヤ人で、しかもユダヤ教のラビの家系だった。しかし、マルクスの誕生の前に、父親がキリスト教に改宗した。母親は頑なにユダヤ教徒として残った。父と母との間に生まれたカールは、果たして洗礼を受けたのか？　それとも母親のユダヤ教で割礼だったのか？　それとも洗礼も、割礼も受けていなかったのか？　はっきりしないらしい。(注)

（注）マルクスの誕生など、『資本論』執筆の頃までのマルクスについては、不十分ながら拙著『もう一人のマルクス』（日本評論社、一九九一年刊）を参照されたい。

そんな家庭環境で生まれ育ったマルクスが、キリスト教とユダヤ教の間で、複雑な宗教的葛藤の中で幼児体験を過ごしたことだけは疑いない。「宗教は阿片である」との彼の言説も、たんなる宗教批判ではない。両親の生き方の違いから生じた複雑な家庭環境の幼児体験から生まれたものだろう。結婚式は教会でキリスト教、死ぬときはお寺で仏教という、宗教的緊張が皆無な日本人には理解の及ばない世界の話だろう。

キリスト教に改宗し、著名な弁護士として活躍していた父親の影響もあり、マルクスは生地のライン州トリーアからボン大学の法学部に入学した。恐らく父親と同じ法律家として弁護士か、官吏になることを目指していたに違いない。しかし、父親の勧めもあり、また当時流行のヘーゲル哲学に憧れたこともあり、ベルリン大学に移り、若きヘーゲリアンとして活躍することになった。すでにヘーゲル学徒の中は右派と左派に分かれていたが、マルクスはヘーゲル哲学を唯物論的に転倒するヘーゲル左派の立場であった。そして、ベルリン大学やボン大学で学者になろうと努力したが、反動の時代が厳しくなり、哲学博士の称号は取得したものの、(注)学者の道は断念せざるをえなかった。進歩的な『ライン新聞』でジャーナリストとして活躍することになった。

(注)　博士号もベルリン大学ではなく、イエナ大学哲学部からであった。

ここで「マルクス伝」を書くわけではないので、幼年期からの厳しい宗教的葛藤の中で、父親の影響により大学では法学の道を選んだこと、さらにヘーゲリアンとしても、「法哲学」などを中心に勉強したことだけを確認して置く。その点、『ライン新聞』の編集長として書いた森林盗伐問題でも、当時ライン県議会が制定した木材窃盗取締法を批判し、所有権の見地から農民の森林への「入会権」を主張した。また、『ライン新聞』の後、ルーゲ達との『独仏年誌』でも「ユダヤ人問題によせて」とともに、ヘーゲル左派のフォイエルバッハの人間主義からの強い影響のもと、『ヘーゲル国法論批判』に関連した「ヘーゲル法哲学批判序説」を書いている。さらに『独仏年誌』には、エンゲルスが「国民経済学批判大綱」を寄稿してきた。ここでマルクス・エンゲルスの接点を迎え、初期マルクス・エンゲルスの唯物史観のイデオロギー的作業仮説が形成されることになった。

唯物史観の形成については立ち入らないが、エンゲルスの論文に触発され、後に『経済学・哲学草稿』として公刊されたA・スミス、D・リカードなど古典派経済学からの抜粋、ノート、草稿などがあり、その中で「国民経済学者は私有財産制の運動法則を説明するのに、労働を生産の中枢と捉えても、労働者を人間としては認めず、労働する機能としてしか見ていない」と述べている。ここで「私有財産と労働」を起点として、階級関係も資本・賃労働ではなく、所有論的に「ブルジョア（有産者）とプロレタリア（無産者）」の対立と見ている。例えば、すでに触れたA・スミスの流通主義「本源的購買貨幣」であるが、さらにJ・ロック以来の「労働価値説」を基礎にして、①自然法に基づく「自己の労働」の果実としての私有財産、②労働疎外に基づく社会的労働による私有財産制の矛盾、③社会主義への公的所有論と社会的労働によるアプローチ、こうした唯物史観のイデオロギー的仮設の骨格が、ここで形成されたと見ることができる。(注)

（注）唯物史観はマルクスにとり、その後の経済学研究などのための「導きの糸」であり、資本主義社会を歴史的にとらえる単なるイデオロギー的な作業仮設だった。『経済学批判』の「序文」で定式化されたが、出発点としては「経哲草稿」の「私有財産と自己の労働」であろう。ただ、作業仮設そのものは必要であり、マルクスが理論的、実証的な作業を進めるうえで非常に有効だったし、とくに古典派経済学批判には有効だった。しかし、あくまでも作業仮設は単なる仮設であり、理論的研究や具体的実証により検証されなければならない。論証や検証を抜きに主張されれば、イデオロギーであるだけにドグマとなってしまう。

ただ、念のため注意しておくが、ここで私有財産制の基礎に人間労働を置くについて、すでに疎外論により「労働疎外」が前提されていることがわかる。「労働者を人間としては認めず、労働する機能としてしか見ていないのである。」しかし、ここでの労働者は、たんなる労働者であり、労働力商品の所有者としての「賃労働」者ではないことが重要である。労働疎外は、たんに物的に疎外されているだけであり、労働力が商品として、言い換えれば人間として物化され、人間疎外として問題視されているわけではない。労働力の商品化が前提されないために、単純商品生産者の労働も、Ａ・スミスの本源的購買貨幣としての労働により、自然から購買して自己の労働による私有財産の基礎に据えられるのであって、ここから『資本論』第一巻第二四章第七節「資本主義的蓄積の歴史的傾向」の「所有法則の転変」につながる点を予め注意して置きたい。

## 2 『経済学批判』から『資本論』へ

「初期マルクス」とエンゲルスにとって、一八四七年恐慌に続く四八年革命は、二人の政治活動や政治的文書にとっては、極めて重要な事件だった。とくに『共産党宣言』などは、今日の日本でもベストセラーに属するほど多くの読者を持ち続けている。しかし、二人の行動は、歴史の流れからみれば、とても積極的に評価するわけにはいかないと思う。むしろ逆であり、①後進国ドイツ・プロイセンなどを中心とするブルジョア革命であり、それが社会主義革命に転化するような情勢ではなかった。②その点で唯物史観の仮設から導かれた「恐慌・革命テーゼ」も、客観的根拠をもったものではなかったと言える。③フランスはともかく、イギリスでは革命情勢は起こらず、むしろ四七年恐慌は、その後の成長と発展のバネになった。要するに、ヨーロッパ大陸に革命的情勢が一時的に盛り上がったに過ぎず、二人の政治行動は失敗であり、徒労でもあったと思う。唯物史観の作業仮設も、そうした敗北の行動と結びついたイデオロギー的仮設だった点の確認が必要だろう。

上記『経・哲草稿』の後、マルクスが経済学研究に本格的に取り組むのは、革命闘争の敗北から逃れ、ロンドンに亡命してからであった。亡命の受け入れは当時イギリスだけであり、エンゲルスはじめ革命の敗北者たちが、続々とロンドンに逃げ込んだ。エンゲルスもロンドンに来たが、ドイツの父親が共同所有する英マンチェスターの工場を経営することになった。従って、マルクスとの共同研究は不可能であり、経済学研究を再開したマルクスを、経済的に援助する役目を引き受けることになった。(注)ロンドンの大英博物館の「reading room」の利用とエンゲルスからの多大な経済援助が無ければ、『経済学批判』（以下『批判』と略称）も『資本論』も生まれようがなかった。その限りでは「マル・エン全集」は出版されているものの、ただロンドン亡命後の経済学研究は、「初期マルクス・エンゲルス」のような共同作業ではなく「中期マルクス」、そして「後期マルクス」の『資本論』へと続くことになった点が、ここでは重要である。

（注）エンゲルスもマルクスの研究に協力しなかったわけでは決してない。二人の友情は、類稀とも言えるし、初期マルクス・エンゲルスのイデオロギー的仮説の唯物史観も維持されていた。しかし、マンチェスターでのエンゲルスは、経営など多忙であり、ロンドンとの距離もあって、二人の「マル・エン全集」的協業が再開されたのは、エンゲルスがロンドンに戻った一八七〇年秋以降である。この二〇年間に、マルクスは唯物史観をイデオロギー的に前提しながら、「純粋資本主義」を抽象して自律的運動法則の『資本論』を書いた。ここで、二人の間に距離が生じた点を看過するわけにはいかないと思う。

なお、ここで「中期マルクス」と『資本論』を書いた「後期マルクス」とに分けた理由を述べておこう。解説書の多くは、例えば「経済学批判の主要テーゼはすべて資本論の第一巻に内包されている。よって二つはまとめて解説する」といった解説や紹介が実に多い。確かに同じマルクスが書いた経済学の著作であり、テーマも「商品、貨幣」を扱っている。また、初期マルクス・エンゲルス以来の唯物史観がイデオロギー的な作業仮設として前提されている点でも共通だろう。また、『批判』と『資本論』の書名は違っていても、『資本論』の副題は「経済学批判」であり、「前者は後者に貫かれている」と言った解釈も可能である。また内容的にも、マルクスが唯物史観との関連で、上記のロックやW・ペティ以来のスミスなど古典派経済学の労働価値説を継承している点で、私的所有の根拠に労働を置いたこともまた、共通したテーゼだろう。しかし、両者の共通性はそんなところまでだと思う。

ここで両者の差異を列挙すれば、①『批判』が一八五九年、『資本論』が六七年と約一〇年の歳月が流れた。しかも、唯物史観の「恐慌・革命テーゼ」は、五七年、六六年と激しい世界金融恐慌にもかかわらず、革命情勢の兆候はなく、逆に金融恐慌をバネにして資本主義経済は高成長して拡大している。対象とする資本主義経済は、恐慌・革命どころか「純粋資本主義」を抽象するような自律的発展を遂げているのだ。②マルクスは『経・哲草稿』がそうだったが、膨大なメモや抜粋ノート、多くの草稿を準備し、その上で『批判』を書き、『資本論』も書いた。前者が「経済学批判要綱」であり、後者が『剰余価値学説史』である。念のため注意するが、その点の区別を無視して、「経済学批判要綱」を「資本論草稿」に含めてしまうのは重大な誤りではないか？　あくまでも『批判』とその続編のための草稿が「経済学批判要綱」であり、『資本論』のための草稿では決してない。「要綱」を準備して『批判』を書いたが、始めの「商品」「貨幣」で終わり、「貨幣の資本への転化」が書けなかったのだ。その誤りや限界の反省のもとに、誠実なマルクス自身は『資本論』を別途準備した。さらに、③副題に「経済学批判」を残したものの、唯物史観のテーゼなどを載せていた『批判』の有名な「序文」や「序説」などは一切カットした。言い換えれば、『批判』は唯物史観のイデオロギー的仮設の枠組みの内部で経済学の理論化を図ろうとした。しかし、『資本論』は逆であり、純粋資本主義の抽象による経済法則により、唯物史観の基礎づけを図ろうとした。新たに「序文」や「後書き」を書き、書名まで『資本論』に変えることにしたのだ。両者の連続性は否定できないが、マルクスは新たな著作として『資本論』を刊行した点が重要である。

しかも新著『資本論』は、タイトルだけの変更ではなかった。『剰余価値学説史』の新たな経済学説の批判と継承の試みは、古典派経済学に対する決定的な批判的見地を提起するのに成功した。別の機会に詳述したが、「すでに「要綱」ですすめていた範疇展開の内容に加えて、たとえば価値論にかんしては価値形態論、さらに労働力商品の明確化、資本蓄積論や再生産論、資本の競争論と生産価格論、そして地代論など、新たに検討をすすめた。」（拙著『恐慌論の形成』一〇七ページ）方法的には、「純粋資本主義」の抽象が明確になり、経済学批判の対象が「プランの変更」（事実上の「廃棄」である）として、「資本」を中心に賃労働、土地所有の三大階級の経済的基礎の解明、そのうえで資本主義の歴史的展開や社会主義を展望する方法的見地が、ここでようやく提示されたのだ。そのような意味で、『批判』の単なる延長上に『資本論』を位置づけるわけにはいかない。それ以前の「初期マルクス」に対して言えば、一八五〇年代の「中期マルクス」の『批判』「綱要」、それに対してさらに六〇年代の『資本論』『学説史』の「後期マルクス」を区別しなければならないと思うからである。（注）

（注）「初期マルクス・エンゲルス」に対して「中期マルクス」「後期マルクス」としたのは、この間ロンドンでマルクスが一人で『批判』『資本論』の研究を進めた点もあるが、その点についても拙著『恐慌論の形成』（日本評論社、二〇〇五年刊）を参照のこと。

なお、『批判』の時点で、マルクスは「経済学の方法」として、古典派経済学以前は「下向法」、古典派以後は自分も含めて「上向法」と述べていた。両者の方法の差異は、前者がいわゆる帰納法であり、後者が演繹法ともいえるように思われるが、ヘーゲルの弁証法はどうなるのか？　『資本論』の純粋資本主義の抽象を、周期的恐慌を含む景気循環の自律的運動法則とすれば、自律的運動の論理として『資本論』の方法としては弁証法になるともいえるだろう。また、当時の世界史的な歴史過程の展開を反映して、ヘーゲル哲学が主張されたともいえるが、ただ論理学としては立ち入った検討がさらに必要であり、ここではたんなる問題提起、試論としておきたい。

## 3　晩期マルクスと『資本論』

さて、今から約一五〇年前、一八六七年に刊行された『資本論』だが、それは第一巻のみで、第二巻、第三巻は、草稿だけがエンゲルスの手に託されてマルクスの死後に刊行された。しかも、第一巻は初版に「価値形態」の付録が付いていた。エンゲルスの勧めもあり、再版には本文に書き込まれて改善されている。ドイツ語版の初版は、一〇〇〇部売り切れるのに数年かかったが、後述のように七二年のロシア語版、続くフランス語版も好調な売れ行きで、『資本論』の影響は先ず大陸で拡大した。マルクスも、フランス語版には部分的に改訂の筆を入れ、とくに第六篇「資本蓄積論」には、後述のとおり篇別構成にまで手を加えることになった。他方、英語訳は遅れに遅れてマルクスの死後、ようやく一八八七年になって刊行、そのためW・モリスなど多くのイギリスの読者は仏語訳を読んだ。しかも、『資本論』の影響が大陸からマルクスの住むイギリスに拡大する中で、重大な事件が勃発した。一八七一年の「パリ・コンミューン」である。すでに拙著『ウィリアム・モリスのマルクス主義』（平凡社新書）にも書いたが、ここで一八七〇年代晩期マルクスと『資本論』の位置づけについて、若干繰り返しになるが補足しておきたい。

ここではパリ・コンミューンの立ち入った検討はできないが、普仏戦争にフランスが敗れ、それに抵抗するパリ市民による抵抗闘争だった。しかし、エンゲルスがここで「プロレタリア独裁」を提起したこともあり、「世界最初のプロレタリア独裁政権」などと解説されるケースも多い。しかし、べつにプロレタリア革命だったわけではなく、ドイツ・プロイセンによるフランス侵略に対する市民の抵抗闘争だったし、市民も未だ「プロレタリア」と呼べる様な労働者の組織闘争でもなかった。多くの都市職人層や協同組合活動のメンバーによる地域を守る抵抗闘争だったからこそ、それは都市共同体として「コミューン」と呼ばれ、パリ以外でもマルセイユやリヨンなどもコミューンとして市民が立ち上がったのだ。パリでは七〇日余りで流血の惨事は終わったが、とくにエンゲルスの「プロレタリア独裁」のテーゼについては、ソ連崩壊とともにパリ・コンミューンとの関連でも、根本的な再検討が必要だろう。

## ①マルクス『フランスの内乱』とエンゲルス「プロレタリア独裁」

ここで「プロレタリア独裁」のテーゼについても、本格的検討は出来ない。ただ、コンミューンが一八七一年五月二八日に崩壊して二日後、出遅れて公刊されたマルクスの『フランスの内乱』について、エンゲルスが後に長文の序文を書いた。一八九一年の序文だが、その最後にこう述べた。「ドイツの俗物は、近頃プロレタリアート独裁という言葉を聞いて、またもや彼らにとってためになる恐怖に陥っている。よろしい、諸君、この独裁がどんなものかを諸君は知りたいのか？ パリ・コミューンを見たまえ。あれがプロレタリアート独裁だったのだ。ロンドン、パリ・コミューン二〇周年記念日に」と訴えた。このいささか扇動的な文章の影響もあって、すでに紹介したがエンゲルスの「コミューン」評価、軍事的戦略や金融統制の提起などと共に、「パリ・コミューン」はプロレタリ独裁として位置づけられた。

マルクスはどうか？ 彼もコミューンでのプロレタリアの役割を重視しているが、『フランスの内乱』

では、プロレタリア独裁を定式化しているわけではなく、かなり慎重である。例えば「コンミューンの本当の秘密はこうであった。それは、本質的に労働者階級の政府であり、横領者階級に対する生産階級の闘争の所産であり、労働の経済的解放をなしとげるための、ついに発見された政治形態であった」と述べている。さらに「コンミューン」の性格を重視しながら「それは、現在おもに労働を奴隷化し搾取する手段となっている生産手段、すなわち土地と資本を、自由な協同労働の純然たる道具に変えることによって、個人的所有を事実にしようと望んだ。――だが、それは共産主義だ、〈不可能な〉共産主義だ、という。ところで、支配階級のなかでも現在の制度が維持できないことを悟るだけの聡明さの持主――そういう人は沢山いる――は、協同組合的生産の、おしつけがましい、騒がしい使徒になっている。もし協同組合的生産が詐欺や罠にはまるべきでないとすれば、もしそれが資本主義制度にとって代わるべきものとすれば、もし協同組合の連合体が一つの共同計画に基づいて全国の生産を調整し、こうしてそれを自分の統制の下におき、資本主義的生産の宿命である不断の無政府状態と周期的痙攣とを終わらせるものとすれば――諸君、それこそは共産主義、〈可能な〉共産主義でなくて何であろうか！」（マル・エン全集一七巻三一九―二〇ページ）とも主張しているのである。

## ②「共同体研究」ブームの盛行

「コミューン」は、歴史的にも地域的にも、多様な発展を遂げてきた。ここでその検討に立ち入ることは不可能だが、都市共同体としての「コミューン」を重視し、市民の共同体的連帯の抵抗闘争、それによる地方権力の奪取からすれば、マルクスが上記のように協同組合の生産や組織を重視するのは当然であり、改めて共同体組織に注目したように思われる。事実、その後マルクスは、エンゲルスのプロレタリア独裁論には距離を置いたように思われるが、モルガン『古代社会』など、「コミューン」に関わる「共同体」について改めて勉強し直し、ここでもまた膨大なノートづくりを始めている（『マルクス古代社会ノート』クレーダー編）。このように七〇年代の時点では、パリ・コミューンの影響もあって、欧米では共同体への関心が高まり、ある種の共同体論ブームを呈したように見える。さらに『資本論』もドイツ語版に続いて、一八七二年四月上旬にはロシア語版が刊行された。ドイツ語版初版が一〇〇〇部だったのに比べ、ロシア語版は三〇〇〇部、さらに同年八月には、マルクス自身が大幅な改定の筆を加えていた上記のフランス語版は、第一分冊が一万部発行された。『資本論』は、英語版の遅れとは対照的に、独、露、仏へと、大陸各国で翻訳が続き、その影響が拡大していたのである。

なお、プロレタリア独裁を堅持しつづけたエンゲルスだが、マルクスの死後になって『家族・私有財産・国家の起源』を書いている。初版の序文では「ある程度まで遺言の執行をなすものである。ほかでもないカール・マルクスその人こそ、彼の―ある限度内ではわれわれの、といってもよい―唯物論的な歴史研究の成果と関連させて、モルガンの研究の結果を叙述し、それによってはじめてその全意義を明らかにしよう、と予定していたのである。マルクスが四〇年まえに発見した唯物史観を、モルガンはアメリカで彼なりに新たに発見したのであり、それによって、未開と文明とを比較するさいに主要な点でマルクスと同一の結論に到達した。」モルガンの研究により、初期マルクス・エンゲルスの「唯物史観」のイデオロギー的仮設が実証された、と主張したいのであろうが、それは疑問である。さらに第四版の序文では、「十九世紀の六〇年代初頭まで、家族の歴史などは問題にもなりえなかった。歴史学は、この領域ではなお完全にモーゼの五書の影響下にあった」とも述べて、マルクス・エンゲルスの唯物史観そのものが、なんの実証的裏付けもない、たんなるイデオロギー的仮設であったことをエンゲルスは自認しているのだ。

### ③ロシア・ザスーリチへの返書

さらに、大陸で『資本論』の影響が拡大する中にあって、ロシアのナロードニキ、ロシア社会民主労働党のメンシェビキの理論家、ザスーリチからの手紙への返書で、マルクスは『資本論』の「所有法則の転変」の事実上の修正を認めることになった。この点についても、すでに紹介したので補足だけにとどめるが、エンゲルスの「プロレタリア独裁」のテーゼを重視したレーニンとは異なり、ナロードニキの立場からも、ザスーリチは「コミューン」、とくに共同体の役割を重視した。共同体も、都市のコミューンに対して、後進ロシアでは農村の村落共同体も関心を高めたのであろう、こんな質問がザスーリチからマルクスに届いた。一八八一年二月一六日付で『資本論』に基づくと、ロシアの村落共同体の運命について、「村落共同体は古代的な形態であって、歴史により没落すべき運命にある」と主張されているが、その是非を問う、というものだった。

当時マルクスも、ロシアにおいて『資本論』の影響が拡大し、その中で共同体の位置づけの重要性に注目していたし、また上記モルガンの『古代社会』などの研究を進めていた。とくに村落共同体の位置づけの重要性に注目していたが、それだけにザスーリチへの返書については慎重に慎重な準備を重ね、マル・エン全集第一九巻によれば、回答のために三つの「下書き」を準備した。内容は、返書としては詳細な資料分析を含み、慎重に対処するマルクスの姿勢が読み取れる。それだけ慎重な準備を重ねたにもかかわらず、返書そのものは簡単なものだったが、それもまたマルクスの慎重な配慮だったように推測される。

「十年この方、周期的に私を襲ってくる神経病に妨げられて、私は、二月一八日付のあなたの手紙に対して、もっと早くご返事を差し上げることができませんでした。（中略）しかしながら、私の学説と言われるものに関する誤解について、一切の疑念をあなたから一掃するには、数行で足りるだろうと、思われます。

資本主義的生産の創生を分析するにあたって、私は次のように言いました。〈資本主義制度の根本には、それゆえ生産者と生産手段との根底的な分離が存在する。（中略）この発展全体の基礎は、耕作者の収奪である。これが根底的に遂行されたのは、まだイギリスにおいてだけである。（中略）だが、西ヨーロッパの他のすべての国も、これと同一の運動を経過する。〉『資本論』仏語版三一五頁

だから、この運動の〈歴史的宿命性〉は、西ヨーロッパ諸国に明示的に限定されているのです。このように限定した理由は、第三二章の次の一節になかに示されています。〈自己の労働にもとづく私的所有（中略）は、やがて、他人の労働の搾取にもとづく、賃金制度にもとづく資本主義的私的所有によってとって代わられるであろう。〉三四一頁

こういう次第で、この西ヨーロッパの運動においては、私的所有の一つの形態から私的所有の他の一つ

の形態への転化が問題になっているのです。それに反して、ロシアの農民にあっては、彼らの共同所有を私的所有に転化させるということが問題なのでしょう。

こういうわけで、『資本論』に示されている分析は、農村共同体の生命力についての賛否いずれの議論にたいしても、論拠を提供してはいません。しかしながら、私はこの問題について特殊研究をおこない、しかもその素材を原資料のなかに求めたのですが、その結果として、次のことを確信するようになりました。すなわち、この共同体はロシアにおける社会的再生の拠点であるが、それがそのようなものとして機能しうるためには、まず初めに、あらゆる側面からこの共同体に襲いかかっている有害な諸影響を除去すること、次いで自然発生的発展の正常な諸条件をこの共同体に確保することが必要であろう、と。」

マルクスが「数行で足りる」と強気な割には、かなり長い弁明になっている。しかし。ここでマルクスは「初期マルクス・エンゲルス」のイデオロギー的仮設だった唯物史観の「所有法則の転変」について、上述のエンゲルスとは異なり、重大な修正をザスーリチに述べていることがわかる。つまり、所有法則の転変の第一の否定の対象となる「自己労働にもとづく私的所有」については、それを一般化するわけでなく、「イギリスにおいてだけ」、そして「西ヨーロッパの他のすべての国」に明示的に限定される、と言い切っているのである。だから、「自己労働にもとづく私的所有」の小商品生産社会は、一般的な社会ではなく、イギリスなど一部の特殊なケースに過ぎないことになるだろう。さらにマルクスは、ロシアにおいては農村共同体の存在について、わざわざ「特殊研究をおこない、しかもその素材を原資料のなかに求めた」とも述べている。

こうしてマルクスは、ザスーリチへの返書という形式をとりながら、『資本論』の解釈として、初期マルクス・エンゲルスの唯物史観である「所有法則の転変」について、「自己労働にもとづく私的所有」を一般的テーゼとしてではなく、イギリスなど西欧の一部に見られる特殊研究に属するものとした。そしてロシアの農村共同体の役割についても、同じく特殊研究として積極的に位置づけ、単なるイデオロギー的な作業仮設としての唯物史観に対して、歴史的検証による重大な変更を事実上提起したのである。すでに『資本論』全体についても、唯物史観の公式を前提として、その枠組みで商品、貨幣を論じて挫折した中期マルクスの『経済学批判』から、「純粋資本主義」の自律的運動法則として理論化した。そこに残された唯物史観の所有論的枠踏みもまた、マルクスはここで歴史的検証により特殊ケースにしたのだ。パリ・コンミューンで幕を開いた一八七〇年代、「晩期マルクス」は「純粋資本主義」の『資本論』を基礎にして、たんなる所有論的な Communism（共産主義）から、後進ロシアの農村共同体をも大きく歴史の視野に入れた Communitarianism（共同体社会主義）を射程に収めようとしていたのではないか？

## 4　E・Bバックス「現代思想」からW・モリス、バックスの共著『社会主義』刊行へ

### ①英国初の『資本論』評論、E・B・バックスの「現代思想」

マルクスも、パリ・コンミューンの後、エンゲルスのプロレタリア独裁論には距離を置いたように思われるが、モルガン『古代社会』など、コンミューンに関わる「共同体」について改めて勉強し直し、上述の通りロシアのナロードニキ、ザスーリチからの手紙への返書で、『資本論』の「所有法則の転変」の事実上の修正を認めることになった。返書は一八八一年三月八日付だが、それにすぐ続いて後にW・モリスと共同で『社会主義』を書いたE・B・バックスによる「現代思潮のリーダー達　第二三回　カール・マルクス」（一八八一年一二月）が発表された。それを読んだマルクスは大変喜び、イギリス初の「真正な社会主義」と最大級の賛辞を述べて、事実上「所有法則の転変」からの転換を自認するようになったと思われる。また、本「評論」を読んだ後、そのとき妻を失ったマルクスもまた、ほとんど病気のため研究を進めることは出来なくなった。そして、亡妻を追うようにマルクスも八三年三月に他界したから、本「評論」に対するマルクスの賛辞は、同時にまたマルクス最晩年の自著『資本論』に対する自己評価だったことにもなるだろう。

本「評論」については、すでに拙訳ながら全文（後掲）を訳出したので是非参照されたい（初出は、拙稿「英国初の『資本論』評論」『変革のアソシエ』No.31　二〇一八年一月）。『資本論』については、第一

巻のみの要約に過ぎないけれども、バックスの『資本論』解読のどこに、マルクスは高い肯定的評価を与えたのであろうか？　『資本論』以後における、そして最晩年のマルクスの考え方を探るうえで、とくに重要と思われる論点、例えば古典派経済学批判としての価値形態論の意義、また資本については商品・貨幣に続く流通形態としての資本の理解、さらに労働力商品化に基づく剰余価値論など、バックスによる『資本論』解読については、マルクス自身が最大限の賛辞を送っているのだ。そうしたマルクスによる高い評価が決定的な契機となって、バックスとW・モリス二人は、共著『社会主義』を準備したのであろう。

なお、上記の通りマルクスは、エンゲルスの「プロレタリア独裁」論については、一定の距離を置いていた。むしろザスーリチへの返書により、初期マルクス・エンゲルス以来の唯物史観、とくに「所有法則の転変」については、事実上の改変を図ったとみるべきであろう。その点で「パリ・コンミューン」などによる共同体の役割の重視とともに、共同体社会主義（コミュニタリアニズム）の見地への傾斜を一層強めていたように見える。このマルクスに対してエンゲルスは、初期マルクス・エンゲルス以来の唯物史観の立場を堅持、さらにプロレタリア独裁を主張した。上述のとおりモルガンの共同体研究に対しても、むしろ唯物史観の仮説の実証と見たようであり、その点でもマルクスとの距離が生じていたように感じられる。そうしたエンゲルスも、若い理論家バックスに対しては寛容な態度だったようだが、R・オーエンなどへの高い評価もあったのであろう、W・モリスに対しては、彼の指導能力を疑い「根深くもセンチメンタルな社会主義者」として、すこぶる冷淡な扱いに終始した。さらに「科学的社会主義者ではなく、ユートピア社会主義者」として厳しく批判していた。(注)　こうしたエンゲルスによるモリス批判があっただけに、バックスがモリスとともに文字通りの「共同作業」として、『社会主義』をまとめ上げたことの意義は真に大きかったと言わざるを得ないと思う。

（注）一八七〇年代の「晩期マルクス」の時点で、プロレタリア独裁論のエンゲルスと、ザスーリチへの返書など、共同体の評価に進むマルクスとの距離についても、拙著『ウィリアム・モリスのマルクス主義』（平凡社新書）を参照されたい。

## ②モリス・バックスの共同作業による『社会主義』へ

すでに触れたように、本「評論」が一八八一年一二月に刊行された後、バックスの勧めもあり「社会主義者同盟」の同志であるモリスも、マルクス『資本論』仏語版を「頭が痛くなるほど」、そして表紙が擦り切れて製本し直すほど読んだ。そして、二人が共に「真の意味での共同作業によって」執筆したと強調しているが、まず「社会主義者同盟」の機関紙『コモンウィール』に連載された「社会主義―その根源から」が、一八八六年五月一五日号から八八年五月一九日まで掲載された。その間、八六年一一月一三日号から八七年一月二二日号までは、中世の歴史ファンタジー「ジョン・ポールの夢」が連載された。この中断の後、第一五章から第二一章まで、マルクスの「科学的社会主義」として、八一年の本「評論」が文字通りの「下書き」だったと思わざるを得ないような構成で共同執筆されている。ここで多少の推測を交えて言えば、本「評論」を執筆したバックは、マルクスから高く評価され、肯定的に受け入れてもらったことに自信を得て、「同盟」の同志モリスとの共同作業により前近代から近代、そしてポスト近代を展望した「社会主義―その根源から」の連載を「ジョン・ポールの夢」とともに企画したのではないであろうか？

したがって、まず八一年の本「評論」、それに続いて「社会主義」の連載、さらにその後にモリスの最高傑作と言われるファンタジック・ロマンの「ユートピアだより」、これもまた、『コモンウィール』に連載された。この「ユートピアだより」は、八八年にアメリカの作家F・ベラミーがベストセラー『顧みれば』を書き、それに刺激されたモリスが八九年六月二一日号に、それを批判した評論に続いた作品である。ポスト近代の「ロマンス」をテムズ川の水系の船旅で描いた作品であり、テムズ水系が、いわゆる「ソーシャルデザイン」になったような作品である。このように『コモンウィール』は、バックスによる本「評論」を出発点として、前近代から近代社会の資本主義経済、『資本論』を踏まえたポスト近代の「社会主義」、そこにはファンタジック・ロマンや装飾芸術のソーシャルデザイン、そしてアーツ&クラフツ運動をも包み込みながら、イギリスのマルクス主義の運動を組織的に展開しようとした。こうした成果こそ、一八九三年にモリス・バックスの共著『社会主義―その成長と帰結』として出版されたのである。

### ③共同体社会主義（コミュニタリアニズム）への道

そこで、モリス・バックスが提起している社会主義のビジョンだが、すでにバックスは『評論』でも「いわゆる本源的蓄積」に関連して、「社会は新しい基礎、土地や生産手段が自由な労働者で構成されるコミュニティによって所有されるだろう」と述べて、コミュニタリアニズム（共同体社会主義）の方向性を提起していた。また、「個々ばらばらの階級としてのプロレタリアは存在しなくなる。社会に必要な労働は、その構成員に平等に配分される」と主張しているのであり、所有論的なコミュニズムよりは、むしろ生産関係と労働組織に踏み込んだコミュニタリアニズムの立場だろう。こうした立場が、古典派経済学の批判による『資本論』の価値形態論の重視、労働力商品化論を前提にして、マルクスによる「所有法則の転変」に対置されたのが重要である。

すでに明らかなように、『資本論』が一八六七年に刊行された後、イギリスを中心とする資本主義経済の本格的発展が続いた。初期マルクス・エンゲルスの唯物史観の作業仮設に基づいた、いわゆる「恐慌・革命テーゼ」などは、約一〇年の周期的恐慌の景気循環が繰り返される高度成長の歴史的現実により、単なるドグマと化してしまった。マルクスは純粋資本主義を抽象し、自律的経済法則の『資本論』を書いた。それだけではない。その過程で一八七〇年代初頭には、上述のとおりパリ・コンミューンがヨーロッパ世界を揺るがせ、マルクス・エンゲルスのかかわる国際労働者協会、第一インターも重大な試練に直面した。ここでエンゲルスは「プロレタリア独裁」を主張し、ロンドン在住のマルクスも、当初から第一インターの基本文書の執筆には協力してはいた。(注)

（注）マルクスも七一年に『フランスにおける内乱』を書いているが、ここではエンゲルスの影響がかなり強い。こうしたことがインターの分裂、解散につったのではないかと思われる。

その点で一八五四年生まれのバックスだが、まだティーン・エイジャーだったが、リアルタイムでパリ・コンミューンの動向に強い関心を持ったと言われる。彼はコンミューンの大義に共感し、その弾圧に抗してコント学派（実証主義協会）の集会にも参加していた。その後、彼はドイツに留学してドイツ語を学び、ヘーゲル哲学、弁証法を学ぶことになった。この留学とパリ・コンミューンへの関心などから、ロンドン亡命中のコンミューン関係者、例えばマルクスの長女と結婚したC・ロンゲなどとも知り合い、またマルクスの三女エレノアとも懇意になって、マルクス主義と『資本論』についても深く学ぶことになったようである。（注）

（注）パリ・コンミューンに係わったバックスの体験が強く反映したのであろうが、『コモンウィール』に連載の「社会主義」の最後では、パリ・コンミューンについて以下のように訴えている。「私たちは結論的にいえるが、この新しい道徳は、もはや単なる理論的推論ではない。何千人の人々が、その啓示の下にいる。その広く知られている真実の普遍的な自由の宣言は、一八七一年のパリ・コンミューンの労働者による英雄的で献身的な行動に示された。」そうした倫理的感情が、国際的にも拡大し、その波紋は階級闘争の発展の結果となっている。そして、「ひとたび社会の経済システムの全体的な変動があれば、新しい倫理観がそれに随伴するに違いないのだ」と述べて、共同体社会主義のエトスとして提起しているのである。

一方マルクスも、パリ・コンミューンへの対応から第一インターが分裂、組織的運動としては大変な失敗に直面した。インターの内部対立も深刻で、それに対する対応を迫られるとともに、上述のとおりコンミューン＝共同体の位置づけをめぐり、『資本論』がいち早く翻訳されたロシアのナロードニキ派からも、厳しい質問がマルクスに寄せられてきた。上記のヴェラ・ザスーリチの手紙であり、『資本論』によればロシアの村落共同体の運命について、「村落共同体は古代的な形態であって、歴史により没落すべき運命にあるではないか」との主張の是非を問うものだった。

モルガンの『古代社会』を学び直していたマルクスは、もう一度念のため引用するが、次のように返答した。「自己の労働を基礎にした私的所有は、――他人の労働の搾取、賃金制度を基礎にした資本主義的私的所有にとって代わられる」「この西方の運動では、私的所有の一つの形態から、他のもう一つの形態への転化が問題なのです。これに反してロシアの農民にあっては、彼らの共同所有が、私的所有に転化されなければならないでしょう。ですから、『資本論』で与えられた分析は、農村共同体の生命力を肯定する理由も、否定する理由も提供してはいません。しかし、私が行った特殊研究により、私はこの共同体がロシアの社会的再生の支点だと確信するようになりました」、つまりマルクスは、ザスーリチへの返書を借りて、『資本論』の「所有法則の転変」について、事実上の「修正」を行ったのである。その点では、エンゲルスとは真逆な対応ではないか？

ここでの「自己の労働を基礎にした私的所有」は、すでに指摘したように自然法の理念としてＪ・ロック以来の古典派労働価値説の基礎づけになったし、スミスは上記の通り自己の労働を「本源的購買貨幣」として、生産過程を流通過程化した。その結果、商品は労働生産物に限定されたし、商品経済的富として労働市場の労働力も土地・自然・エネルギーなども視野には入らなくなった。マルクスは労働疎外論の立場で唯物史観を提起したが、『資本論』の「中期マルクス」の段階を迎えて、ようやく価値形態論の展開、労働力商品化による「貨幣の資本への転化」を解明した。しかし、古典派労働価値説の継承により、『資本論』冒頭の価値論では等労働量交換など単純商品生産社会を想定し、さらに「所有法則の転変」を説くことにもなり、ザスーリチからの疑問や批判を招くことになった。そうした点で、古典派労働価値説の継承と受容についても、さらに現時点で改めて根本的な再検討が必要だが、それには別稿を準備しなければならない。

いずれにせよ七〇年代、パリ・コンミューン後の動向からすれば、上記の本「評論」におけるバックスのコミュニタリアニズムへの展望について、マルクスもまた前向きに評価したとしても不思議ではないと思う。同時にバックスの展望についても、文字通り「真正の社会主義」として評価したのではないか。そして、さらに重要なことは、上述の通り『コモンウィール』において、モリス・バックスが共同で歴史的に社会主義の「根源から」の検討を加え、そのうえで『資本論』の解説の「注記」として、「自己の労働を基礎にした私的所有」について、前近代的な村落共同体のギルドにおける労働の組織の意義を提起した。(注)そして「否定の否定」として、コミュニタリアニズムの社会主義が展望されたのではないか。だとすれば、バックスが最晩年のマルクスに送った「評論」、さらに共著『社会主義』の刊行の意義は、真に大きいと言わざるを得ないと思う。

(注)この点についての立ち入った検討は、拙著『ウィリアム・モリスのマルクス主義』(平凡社新書)および大内・川端康雄監修、モリス・バックス『社会主義―その成長と帰結』を参照のこと。なお、バックスについては、付論2「奇妙な二人組」(川端稿)また、「社会主義―その根源から」についても、付論1の拙稿を参照のこと。

# あとがきに代えて　――コロナ危機とエコロジーへのアプローチ

## （1）人間の生存そのものが問われる「体制的危機」

始めは株式市場の暴落で「コロナ・ショック」だった。しかし、感染者が欧米にも広がり、WHOの「パンデミック宣言」、さらに発生源を巡っては米・中の政治的対立も重なり、「コロナ危機」から「コロナ戦争」となった。ニューヨークや東京の国際金融都市では、マスクなど医薬品の不足だけでなく、病院など医療施設の体制が崩壊し、犠牲者の葬儀も出来ない。そんな大都市の過密の生活から脱出、東北など田舎への「疎開生活」を考えざるを得なくなってきた。そんな折も折である。

「GW、家にいて」の見出しで、四月二四日「東北・新潟緊急共同宣言」が発せられた。短期の宣言だし、政府の「緊急事態宣言」もあっただけに、東北七県の動きは目立たない。しかし、感染者ゼロを誇る賢治「イーハトヴ」岩手県を始め、東北各県のコロナ感染者は極めて少ない。首都圏の大量発生と比べると、改めて首都圏の人口集中による「過密」と東北の人口流出による「過疎」、この「過密と過疎」の新たな矛盾が際立っている。

「共同宣言」のニュースをネットで追いながら、昔の疎開生活の苦労などを思い出した。あの時も集団疎開の受け入れ先が決まらず、「銃後の少国民」の疎開児童は心配した。今回のコロナ戦争も、医療崩壊など考えれば、今後の疎開生活を考えざるを得なくなるのではないか？　ペストやスペイン風邪の例を考えれば、そう簡単に片付きそうにないからだ。すでに大幅なマイナス成長など、コロナ世界大恐慌が叫ばれ、その上での首都圏などからの脱出・疎開である。

念のため注意するが、一九二九年世界金融大恐慌は、国際的な金本位制の崩壊に伴う通貨・金融恐慌だった。引き合いに出される〇八年のリーマン・ショックも、管理通貨体制下の金融破綻だった。今回のコロナ・ショックは、どうか？　新型ウイルスの感染拡大による「パンデミック宣言」、ロックダウンによる都市封鎖、外出自粛など、実体経済の生産＝供給と消費＝需要の分断による経済危機だ。加えて重要なことは、リーマン・ショック後、「アベノミックス」の異次元緩和による超低金利など、異常なグローバル化の資金過剰、それに伴う企業の内部留保とともに、過剰生産、過剰流通、過剰消費（浪費）、その結果として「密閉・密集・密接」の「三密経済」の内部に新型ウィルス・コロナが織り込まれたのではないか。

だとすれば、グローバルな「三密経済」を超えた、新たな生産と消費の経済循環に向けて、「地産地消」の地域循環型経済の構築、そのための東北の結束も必要だろう。コロナ危機によるコロナ戦争の拡大は、単なるグローバルな金融危機ではない。グローバル金融の異常な拡大による実体経済の分断であり、生産と消費の経済循環、さらに踏み込めば「人間と自然の物質代謝」の根底から「三密経済」が問われているのではないか。その意味でコロナ危機は、医療体制の崩壊の形で、人間の生存そのものが問われる「体制的危機」と言えるだろう。

## （2）マルクス主義とエコロジー問題、「所有法則の転変」

コロナ・ショックに先だち、スウェーデンの環境活動家グレタさんなど、地球温暖化への若者の抗議が高まり、すでに資本主義経済のグローバル化によるエコロジー問題への関心が急速に高まって来ていた。低炭素化ガスなど、温室効果ガスの排出による地球温暖化は、異常気象による自然災害の多発など、とくに地球の将来性に係わる若年層の関心が高まっている。コロナ・ショックの危機について言えば、死亡率の高い高齢者層に死への恐怖感が広がっている。仙台の「老人ホーム」に住む独居老人としての実感である。

さらに言えば、すでに米・スリーマイル島（一九七九）、ソ連・チェルノブイリ（一九八六）、福島・第一（二〇一一）へと、度重なる原子力発電所の事故による放射能汚染が、とくに若い母親を恐怖に陥れてきた。[注]それだけに、ここにきてコロナ・ショックなど、各種エコロジー問題が集中的に発生、老若男女のグローバルな危機に繋がっていると思う。こうした中で、とくにエコロジー面から、あらためて「持続可能な社会」への関心と転換への期待も高まったと思う。さらに付言するなら、「人新生」という新たな地質時代の到来も提起されている。

（注）放射能汚染委ついては、片野弘一「消せない放射能―土壌汚染の知られざる実態―放射能汚染土壌利活用防止条例制定研究会」（『北海道自治研究』六一五号所収）を是非とも参照されたい。チェルノブイリ原

発など、福島第一原発にも言及された新たな報告であり、とくに片野氏は元NNNモスクワ支局長である。福島・第一原発については、後藤康夫・宣代編著『21世紀の新しい社会運動とフクシマ：立ち上がった人々の潜勢力』（八朔社、二〇二〇年刊）を参照のこと。

エコロジー問題は多様、かつ複雑であり、色々な要因が絡み合っているし、関連分野も広い。自然科学の各分野を始め、社会科学の分野への広がりも大きい。マルクス主義に関連しても、初期マルクス・エンゲルスの時点から、土地・自然を中心にしてエコロジー問題への関心は高かった。とくに「山林盗伐問題」など、地代と土地所有、また農業問題への考察が重ねられてきた。さらに最近、旧来のマル・エン全集などに未収録だった抜き書きやノート類が発表され、その中にはマルクスの土地・自然・農業などに関するノートやメモが沢山ふくまれ、すでに立ち入った検討が始められたようである。（注）そうした作業により、今まで軽視されがちだったマルクス主義とエコロジーの関連も、大きく提起される可能性もあると思う。

（注）斎藤幸平『大洪水の前に―マルクスと惑星の物質代謝』（堀之内出版二〇一九年刊）が特に注目される。「ロンドン・ノート」などにも眼を通され、当時の論争の詳細な点検など、新たなマルクス研究として注目したい。また、『資本論』以後の「晩期マルクス」とエンゲルスとの関連など、拙論との接点にも注目したい。

ただ、従来マルクス主義に対しては、エコロジー問題が軽視されてきたし、その点を批判される傾向が強い。マルクス主義の思想は、生産力理論に基づく「生産力至上主義」であり、いわゆるプロメテウス主義である、という批判的レッテルに他ならない。こうした批判の原因の一つには、初期マルクス・エンゲルスの唯物史観の教条化・ドグマ化が大きいと思われる。とくに単純な階級闘争論にもとづき、①個人的生産にもとづく私的所有の単純商品生産段階、②生産の社会化による私的所有の資本主義的生産段階、③その解決として生産力のヨリ高度な発展と公的所有の社会主義生産段階、といった生産力の発展段階を軸とした歴史観に他ならない。

また、そうした唯物史観のドグマによるソ連型社会主義による東の世界の現実があった。何よりもまず「共産主義は、労兵ソヴエトと全国の電化」としたレーニンのテーゼがあったし、その「レーニン共産主義記念チェルノブイリ原子力発電所」の事故が、ソ連崩壊の引き金になったとも言える。また、個人的経験だが、「ベルリンの壁崩壊」直後の東独で見聞した工場公害のひどさは、まさに眼を覆うばかりの惨憺たるものであり、固定設備の償却を無視し、公害垂れ流しの生産力至上主義の現実そのものだった。工場公害にチェルノブイリ事故の放射能の風が吹きすさび、ソ連型社会主義が崩壊したことを実感した。(注)ベルリンの壁崩壊の前提には、レーニン主義による生産力至上主義の破綻があったことを見逃すことは出来ない。

(注)「激変の九〇年には、ソ連・東欧、また英、仏、スウェーデンなどを回って、世紀の転換の現場を歩き自分の目で確かめてみた。」(拙著『世界と日本　新しい読み方』講談社、一九九一年刊)、とくに「公害は共産党神話の地獄絵」九九〜一〇一頁を参照されたい。

レーニン主義による生産力至上主義の前提には、上記のとおりマルクス『資本論』にも残されている、いわゆる「所有法則の転変」の定式があった。念のため、もう一度繰り返すが、①単純な小商品生産者による生産は、いうまでもなく小規模生産であり、低い生産力水準に過ぎない。低い生産力水準に見合う、個人の私的生産による私的労働の個人的所有が基礎づけられ、単純商品生産社会が成立する。私的労働に基づく私的所有である。しかし、商品生産の発展は、市場の拡大に伴い、個人の私的生産の枠を超え、社会的生産に発展する。生産力の発展に基づく生産の社会化である。

②このように生産が社会化しつつ、労働力の雇用などにより、生産力水準は急速に上昇する。「地理上の発見」など世界市場の拡大は、機械制大工業による大量生産を実現した。しかし、大量生産の資本主義経済は、私的所有を前提する民間営利企業によるものであり、生産の社会化と私的所有の矛盾が拡大する。社会的生産と私的所有、これが資本主義の「基本矛盾」となる。この基本矛盾は、生産の社会化による生産力の発展とともに、世界金融恐慌などとして爆発する。基本矛盾の爆発と相俟って、資本主義に「最後の鐘が鳴り」社会主義革命が到来する。

③社会主義経済は、私的所有により制約されていた生産の社会化をさらに拡大し、私的所有を公的な共同所有に変革する。私有財産を廃絶した共同所有の国有企業など、基本矛盾が解決されるとともに、社会的生産の一層の拡大と生産力の上昇をもたらす。労兵ソビエトによる国家権力の奪取による「プロレタリア独裁」政権は、国有化された電力事業などによって重化学工業化を推進し、生産力水準の一層の向上を図る。これが上記レーニによる共産主義の定式に他ならない。

## （3）作業仮説としての唯物史観と純粋資本主義の法則性解明

この生産力理論に基づく「所有法則の転変」の考え方は、言うまでもなく初期マルクス・エンゲルスの唯物史観から始まり『共産党宣言』などを経て、中期マルクスの『経済学批判』の序文で、マルクスも定式化した。しかし、ここで重要なことは、マルクスはそれを「導きの糸」として、その後の『資本論』研究などの「イデオロギー的作業仮説」として定式化しただけだった。すでに述べたが、この作業仮説は必要であり、仮説が無ければ『資本論』の経済法則など、資本主義経済の自律的経済法則の解明は出来なかっただろうし、当時の経済発展の実証分析も出来なかったに違いない。しかし、作業仮説はあくまでも仮説であり，法則そのものにとって代るものではない。事実マルクスは、『経済学批判』について、商品・貨幣まで書いたものの、「貨幣の資本への転化」のところで行き詰った。誠実なマルクスは「ノートづくり」や『剰余価値学説史』など研究のやり直しで、『資本論』を始めから、つまり商品・貨幣論から書き直した。『資本論』は「純粋資本主義」の抽象であり、資本主義の歴史的転変ではなく、「資本制生産様式」の自律的な運動法則であり、その上で歴史的転変も考え直すことになったと思う。

しかし、作業仮説とそれに基づく法則解明は、それほど簡単に区別できる作業ではなかった。とくに当事者本人のマルクスにとっては、至難の作業だったと思う。実際、『資本論』には上記の生産力理論の「所有法則の転変」そのものが、純粋資本主義の自律的運動法則に対する枠組みのような形で残ってしまった。

一番はっきりしているのは、第一巻、第七篇、第二二章、第一節「拡大された規模における資本主義的生産過程。商品生産の所有法則の資本主義的領有法則への転換」と第二四章、第七節「資本主義的蓄積の歴史的傾向」であり、その間に第二三章「資本主義的蓄積の一般的法則」が填め込まれている。また、冒頭の第一章「商品論」でも、第一節の「商品の二要素　使用価値と価値」における労働価値説の論証、それと第二章「交換過程」で商品生産の所有法則を説明し、その間に第三節「価値形態または交換価値」が填め込まれているように思える。このような作業仮説の唯物史観と純粋資本主義の法則性解明の二重性が、『資本論』を難解なものにしたし、その解釈に混乱を持ち込み、論争を長期化する原因になったように思う。とすれば、純粋資本主義の抽象を重視し、自律的運動法則の解明を『資本論』の法則として純化するなら、作業仮説の唯物史観をここで思い切って整理する作業が必要不可欠だろう。『資本論』刊行後一六年という長期に及んだ「晩期マルクス」の時代が続いたのだ。しかも、「パリ・コンミュン」をはじめとする激動の時代だっただけに、単なる『資本論』解釈だけに止まらない新たな方向性が求められたと思う。(注)『資本論』の整理とともに、その発展の作業に他ならない。

（注）「所有法則の転変」批判、および「唯物史観」のイデオロギー的作業仮説などの問題点を大胆に提起されたのが、言うまでもなく宇野理論の三段階論に他ならない。筆者は、宇野理論の積極的な継承・発展をはかる立場にあるが、これまで『資本論』以後の「晩期マルクス」の検討は、必ずしも十分行われてこなかった。また、「パリ・コンミュン」などの「七〇年代問題」、さらにマルクスからW・モリスなど共同体社会主義＝コミュニタリアニズムへの発展など、新たな論点の検討も必要と思われる。

## (4)資本主義経済の矛盾と運動、「経済法則」と「経済原則」

その点で、いま新たなコロナ危機によって、問題提起されている生産力理論ならびに生産力至上主義を乗り越えるための「人間と自然との物質代謝」の位置づけだが、この物質代謝は言うまでもなく人間の経済活動の基本そのものである。人間が自然に働きかける生産活動、生産された消費財を消費する消費活動、この生産と消費の循環こそ経済活動と呼ばれている。人間と自然との物質代謝の中心は経済活動である。こうした人間と自然との物質代謝である経済活動は、言うまでもなく超歴史的・歴史貫通的な過程であり、いわゆる「経済原則」に他ならない。『資本論』でも、第一巻、第三篇、第三五章の「労働過程」で論じられ、人間の労働力、道具や機械の労働手段、さらに原材料とともに土地・自然の労働対象が、生産の三要素とされている。詳細はともかく、こうした生産の三要素による労働・生産過程が、『資本論』では「資本の生産過程」として、資本の価値増殖過程に包摂されるものとして、資本主義の自律的運動の「経済法則」が解明された。念のため宇野理論の「経済法則」と「経済原則」の関係である点をここで注意しておこう。(注)

(注)「経済法則」と「経済原則」の関係だが、宇野理論でも「経済原則」は岩波全書版『経済原論』(一九六四年刊)で初めて概念化され、「経済の原則は、法則と明確に区別されなければならないが、勿論、それは無

関係のものとしてではなく、むしろ反対に、経済の原則が商品経済の下に、初めてその形態に特有なる法則としてあらわれるものとしてである」として、機械の技術的利用の経済原則と資本主義的な剰余価値の経済法則による採用との関係を例解されている。また、上記の斎藤幸平『大洪水の前に』でも、「自然的物質代謝」と「社会的物質代謝」を区別し、前者の「素材的世界」と後者の「経済的形態規定」の区別と関連を重視している。

さて、言うまでもなく「人間と自然の物質代謝」の主体は人間であり、人間の労働力であり、その判断で労働力の使用価値としての労働が支出されて生産が行われる。上記「経済原則」だが、資本主義の「経済法則」としては、生産の主体が「資本」に移り、「資本」が労働力を商品として雇用し、その使用価値の労働を価値増殖の手段として利用する。労働手段も労働対象も資本の価値増殖の手段になって、労働力も「機械の付属物」になるのが資本の価値増殖過程であり、ここから初期マルクス・エンゲルスの「唯物史観」を超えた、資本主義経済における労働力商品化による「労働疎外」も生まれる。労働力の商品化にともなう人間の主体性の喪失であり、「人間と自然の物質代謝」にとっても主体の喪失である。とすれば、ここで「労働力の商品化」が決定的な重要性をもつことになるだろう。

この「労働力の商品化」ではなく、単なる「労働の商品化」ならば、A・スミスの原初的購買貨幣（original purchasing money）に代表される通り、すでに古典派経済学でも明らかにされていた。しかし、これは「流通主義の極点」であり、生産過程の人間の主体性は看過されて、労働を貨幣として自然から生産物を商品として購入し、私的に所有する。これが、私的所有のイデオロギー的基礎づけでもあったのだ。初期マルクス・エンゲルスの古典派批判は未成熟であり、上記の①のような単純商品生産者による自己労働の私的所有の定式化を受け入れたのであろう。また、こうした唯物史観によるイデオロギー的仮説により、『資本論』にまで「所有法則の転変」の定式が残ってしまった。さらに、すでに触れたように『資本論』冒頭の労働価値説の論証にも論争点を残してしまったのだ。

A・スミス以来、『資本論』も同じだが、近代社会の資本主義経済の富（wealth）は商品経済的富であり、それを上記「流通主義」では、原初的購買貨幣で購入した労働生産物としていた。商品経済的富は労働生産物であり、従って商品の価値＝交換価値も労働である。『資本論』冒頭の労働価値説の論証も、労働の二重性などの説明が加えられたものの、基本的には商品経済的富を労働生産物に限定する労働価値説に過ぎなかった。こうした説明では、言うまでもなく労働生産物ではない、人間の主体的能力としての「労働力の商品化」は解けない。労働力商品化の欠落こそ、スミス的「流通主義」のイデオロギー的欠陥であり、それはまた「自然と人間の物質代謝」の主体喪失に他ならない。上記のとおり、「人間と自然の物質代謝」の主体はまぎれもなく人間の「労働力」であり、その労働である。資本主義経済は、労働生産物だけではなく、労働生産物ではない人間の労働力まで商品化し、同じ労働生産物ではない土地・自然まで商品化する。広範な「労働市場」であり、また「不動産市場」の存在であり、労働力と土地・自然を商品経済的に結びつける。単なる労働生産物を超えた、「人間と自然との物質代謝」の根源の深みから資本主義経済の矛盾と運動を捉えようとした、そこに古典派経済学の労働価値説を超えたマルクス『資本論』の科学的意義を求めるべきだろう。

## (5) 労働力商品の社会的再生産の体制的危機

しかし、現行マルクスの『資本論』は、スミス以来の「流通主義」の頸木に足をとられ、初期マルクス・エンゲルスの唯物史観のイデオロギー的作業仮説の枠組みに縛られたと思う。だが、それにも拘わらずマルクス自身は、冒頭の価値論おいては、古典派を超えて「価値形態論」を明らかにした。さらに『経済学批判』では挫折した「貨幣の資本への転化」において、「労働力の商品化」とその矛盾、さらに「資本」を流通形態として明確に定式化したのだ。その上で、上記のとおり「労働過程」から資本の生産過程の剰余価値生産へと「人間と自然の物質代謝」と資本主義経済の法則性の解明に成功している。さらに、この「労働力の商品化」を基礎に、唯物史観の所有論的アプローチを超えた地平において、生産力至上主義による「社会的生産と私的所有」の基本矛盾から脱却して、労働力商品の特殊性に根差す基本矛盾の設定が可能になった。宇野理論の「労働力商品化の基本矛盾」の設定に他ならない。(注) ここにまた、『資本論』以後の「晩期マルクス」による「共同体社会主義」=コミュニタリアニズムへの道も切り拓かれたのだ。

(注) 宇野理論の価値論は、『資本論』冒頭の労働価値説の論証を厳しく批判し、「価値形態論」や「労働力の商品化」などを積極的に評価した。しかし、冒頭の商品については、労働生産物ではないが、何故か労働力の商品化、土地・自然の商品化を排除している。マルクスの「資本・賃労働・土地所有」のトリアーデによるのかも知れないが、純粋資本主義の抽象が不徹底になり、広範な労働市場や不動産市場も欠落し、「貨

幣から資本への転化」で労働力商品化を事実上外部から持ち込むことになり、さらに人間と自然の物質代謝の「エコロジー」的視点の軽視ともなっているのであり、その点では疑問に思う。

晩期マルクスにおける共同体社会主義＝コミュニタリアニズムについては、すでに拙著『W・モリスのマルクス主義』（平凡社新書）でも明らかにしたが、『資本論』以後、一八七〇年代の「パリ・コンミュン」に続く共同体研究ブームなど、マルクスもまた『古代社会ノート』を始め、新たな研究を進めていた。とくにロシアのナロードニキ、メンシェビキの女性理論家、ザスーリチへの返書により、初期マルクス・エンゲルス以来の唯物史観の定式「所有法則の転変」の事実上の修正を認めていたのだ。また、W・モリスとともに共著『社会主義』（一八九三年刊）を書き、共同体社会主義を目指していたE・B・バックスは、早くも一八八一年にイギリス最初の『資本論』の評論、「現代思潮のリーダー達、第二三回、カール・マルクス」を発表した。それを病床の妻と共に喜び、マルクスは「真正な社会主義」と絶賛を惜しまなかったのだ。こうした「晩期マルクス」の共同体社会主義への傾斜が、「初期マルクス・エンゲルス」の唯物史観の初心を守ろうとする「プロレタリア独裁」論のエンゲルスと距離を置くことになったように思われて仕方がない。

さらに「晩期マルクス」は、『資本論』第二巻、三巻の編集刊行をエンゲルスに託しながら、とくに第二巻の「資本の回転」などの原稿を執筆していた。その中でも、流通形態の資本とその回転について、労働力商品の購入・賃金支払いに充当される「可変資本の回転」を書き残している。たんなる原稿に過ぎないが、資本の回転に関連して、「流動資本」に分類される「可変資本の回転」をとり上げている点が、真に興味深い問題提起だと思う。労働力商品の特殊性から、可変資本の回転は労働者の側からすれば、労働力商品A―賃金G―消費財Wであり、これはグローバルに拡散する「資本の回転」ではなく、まさに地域循環型の「単純流通」である。しかも、労働力商品Aに対する賃金支給の対象は個人であっても、労働力の再生産は家庭で家族のコミュニティで行われ、家族による消費もコミュニティの構成要素である地域と結びつく。ここで労働力商品の再生産は、超歴史的・歴史貫通的なコミュニティと関連しつつ、労働力の社会的再生産が進まざるを得ない。(注) 資本の価値増殖の回転運動の経済法則も、歴史貫通的な経済原則による制約をまぬがれない。しかも、今日の日本資本主義の現実は、単なる低賃金や所得格差だけではない。結婚も出来ない、しない。子供もつくれない、つくらない。そして八〇歳の年金生活者が五〇歳の子供を養う「八〇対五〇」、あるいは「六〇対四〇」社会である。まさに「少子高齢化」は、労働力商品の社会的再生産の体制的危機であることを知らねばならない。

(注) この点については、拙稿「労働力商品化の止揚と『資本論』再読―労働運動の再生と労働力再生産の視点」平山昇編『時代へのカウンターと陽気な夢―労働運動の昨日、今日、明日』(社会評論社、二〇一九年刊)を是非参照のこと。

## （6）現代資本主義の体制的危機から共同体社会主義へ

ここで最初のコロナ危機との関連に触れるとすれば、コロナ危機による株価の暴落、ＩＭＦなどによる世界的なＧＤＰの落ち込み、失業率の急速な上昇など、一九二九年以来の経済危機の到来とされている。「コロナ大恐慌」である。ただ、念のため繰り返すが一九二九年世界金融恐慌は、国際的金本位制の崩壊に結びついた通貨・金融危機だし、比較される〇八年リーマン・ショックも、管理通貨制の下での金融破綻だった。今回のショックは、新型ウイルスの「パンデミック」が、都市封鎖など実体経済の「生産と消費の分断」と縮小を、直接的に引き起こした経済危機に他ならない。しかも、「アベノミックス」の異次元緩和による超低金利など、異常なグローバル化の促進・助長によって、資本過剰の慢性化にともなう内部留保とともに、過剰生産・過剰流通・過剰交流・過剰消費（浪費）が内包され、その結果として「密閉・密集・密接」の「三密経済」の奥深くウイルスが織り込まれたのではないか？　とくに日本では、上記のとおり労働力商品の再生産の危機が深化している現実を忘れてはならない。

労働力の商品化は、すでに述べた通り、ともに「労働生産物」とは言えない土地・自然の商品化と結びついている。両者は、表裏の関係と言ってもいいと思う。労働力の社会的再生産にとって、家庭・家族のコミュニティが不可分離な関係だとすれば、そこに当然のこととして地域である土地・自然の関係が結びつくし、同時にまたエコロジーの関係も結びつかざるを得ない。言い換えれば労働力商品の特殊性は、コミュニティの関係を通して、土地・自然の特殊性に結びつかざるを得ないし、人間と自然の物質代謝に直結せざるを得ない。初めに事例とした環境活動家グレタさんたち若者の抗議も、言うまでもなく労働力再生産の危機とも言えるし、うち続く原子力発電事故もそうだ。今回のコロナ・ショックもまた、ポスト・リーマンシ・ヨックに続く超低金利政策による「三密経済」と結びついた現代資本主義の超グローバル化による体制的危機ではないのか。(注) マルクス主義は、W・モリス達とともに、今や共同体社会主義＝コミュニタリアニズムとして再生・復活し、現代資本主義の体制的危機に対して蘇ろうとしていると思うところである。

(注) 労働力商品化の基本矛盾を、単なる直接的生産過程の搾取論に矮小化してはならない。『資本論』第二巻の「可変資本の回転」など、労働力の社会的再生産過程まで広げ、家庭・家族のコミュニティや単純流通による地域循環型経済の意義を明らかにしなければならない。それによりエコロジー的視点とともに、人間と自然の物質代謝に基づく「経済原則」の目的意識的、かつ組織的な運動の方向性も明らかになると思う。それらの点では不十分ながら、大内・吉野・増田・編著『自然エネルギーのソーシャルデザイン：スマートコミュニティの水系モデル』(鹿島出版会、二〇一八年刊)を参照されたい。

＊＊＊

本書は平山昇さんの企画によるダルマ舎叢書Ⅳとして刊行されるが、二〇一四年一一月に平山さんとの共著として刊行した『土着社会主義の水脈を求めて――労農派と宇野弘蔵』が底本になっている。同書刊行後、W・モリスや宮沢賢治に関する新資料も多く発掘され研究も進んだので、ダルマ舎叢書のⅣ巻とⅤ巻の二冊本として新たに出版することにした。

第Ⅴ巻は平山昇著『文学と共同体――土着社会主義の水脈を求めて』として近く刊行される。今日の新自由主義の破綻をこえて、新たな共同体社会主義をめざすこのような企画を実現してくれた平山昇さんと社会評論社の松田健二さん、本間一弥さんに感謝します。

宇野弘蔵先生はじめ、多くの学恩に感謝するが、学都である仙台に在住して半世紀以上になった。沢山の研究者、学生諸君、広く市民の皆さんにお世話になった。とくに仙台・羅須地人協会には、今も『資本論』ゼミで学んでいる。心から感謝する。

なお、三年前に妻・大内芳子が急逝した。学生時代からの『資本論』研究、仙台・作並の「賢治とモリスの館」など、彼女の協力に感謝する。有難う。

大内　秀明

二〇二〇年六月一五日

◎著者紹介
大内　秀明（おおうち ひであき）
1932年東京生まれ。
東京大学経済学部・同大学院、経済学博士。東北大学名誉教授、仙台・羅須地人協会代表。
著書：『恐慌論の形成――ニューエコノミーと景気循環の衰滅』（日本評論社、2005）、『賢治とモリスの環境芸術――芸術をもてあの灰色の労働を燃やせ』（編著、時潮社、2007）、『ウィリアム・モリスのマルクス主義――アーツ＆クラフツ運動を支えた思想』（平凡社、2012）、ウィリアム・モリス／E・B・バックス『社会主義――その成長と帰結』（監修・大内秀明、川端康雄訳、晶文社、2014）、『自然エネルギーのソーシャルデザイン』（鹿島出版会 2018年）など。

ダルマ舎叢書Ⅳ
日本におけるコミュニタリアニズムと宇野理論
土着社会主義の水脈を求めて

2020年7月20日　初版第1刷発行

著　者―――大内秀明
装　幀―――中野多恵子
発行人―――松田健二
発行所―――株式会社 社会評論社
東京都文京区本郷2-3-10
電話：03-3814-3861　Fax：03-3818-2808
http://www.shahyo.com
組　版――― Luna エディット .LLC
印刷・製本―倉敷印刷株式会社

ダルマ舎叢書Ⅰ――――――――――――――――――――――― A5判360頁／定価＝本体2,500円＋税

## 時代へのカウンターと陽気な夢　労働運動の昨日、今日、明日

小野寺忠昭・小畑精武・平山　昇【共同編集】

自主生産と地域ユニオンによるコミュニティ型労働組合の形成へ。23人の執筆陣が自らの運動体験を省みて、明日に向かって＜陽気な夢＞の弾丸《タマ》を撃つ！

第1章　東京東部の労働運動（小畑精武、小野寺忠昭、平山昇）

第2章　総評解体と闘う労働運動（川副詔三、小野寺忠昭、平賀健一郎、関口広行、小畑精武）

第3章　企業別労働組合から社会的労働運動へ（要宏輝、鳥井一平、嘉山将夫、須永貴男、中村登、都筑　建、岩元修一、大場香代）

第4章　新しい労働運動の構想（小野寺忠昭、小畑精武、堀利和、白石孝、志村光太郎、平山昇）

第5章　労働運動への提言（大内秀明、鎌倉孝夫、樋口兼次、伊藤誠）

コラム（小野寺忠昭、井谷清、水谷研次）

ダルマ舎叢書Ⅱ――――――――――――――――――――――― A5判238頁／定価＝本体2400円＋税

## 原発のない女川へ　地域循環型の町づくり

篠原弘典・半田正樹編著

「原発のない女川へ」。それは、選び取る意志の問題であり、実現可能な、まっすぐにのびる現実的未来として目の前に広がっている。

第1章　原発の「安全神話」はいかにして作られたか（小出裕章、石川徳春）

第2章　原発の「経済神話」（田中史郎、菊池登志子）

第3章　原発の「地域社会分断」作用（西尾漠、篠原弘典、半田正樹）

第4章　地域循環型社会をめざして（半田正樹）

ダルマ舎叢書Ⅲ――――――――――――――――――――――― A5判352頁／定価＝本体2500円＋税

## 西暦二〇三〇年における協同組合　コロナ時代と社会的連帯経済への道

柏井宏之・樋口兼次・平山昇【共同編集】

コロナクライシスの社会で様々な活動が期待される協同組合。近未来の新たな社会像を構想するブレインストーミング。

第1章　やってきたこと、伝えておきたいこと（横田克己・下山保・若森資朗・野々山理恵子・柏井宏之）

第2章　今やっていること、やらねばならないこと（村上彰一・志波早苗・藤木千草・伊藤由理子・堀利和）

第3章　西暦二〇三〇年の協同組合へ（佐藤孝一・柳澤敏勝・加藤好一・白井和宏・古沢広祐）

第4章　日韓生協間提携から社会的連帯経済へ（金起燮・丸山茂樹・柏井宏之・瀬戸大作）

第5章　産業組合、生産合作社など覚書（樋口兼次・境　毅・亀井隆・平山昇・大内秀明）

ダルマ舎叢書続刊　平山昇著　**文学と共同体――土着社会主義の水脈を求めて**